Juan Mari Arzak

Primera edición: Septiembre 2006

Edición: Bainet media S.A.
Textos: Juan Mari Arzak
Fotografías: Mikel Alonso
Diseño y maquetación: RTO Publicidad S.L.
Preimpresión: Durero S.L.

I.S.B.N.: 84-96177-23-8
Deposito legal: BI-1100-06
Impreso y encuadernado en GRAFO S.A.
Impreso en España *(Printed in Spain)*

ARZAK

Bocados

Hace unos años no me hubiera imaginado escribiendo un libro de cocina creativa dedicado a una de las modalidades que más me cautivan como cocinero y que más he admirado, sobre todo como comensal. Me refiero al mundo del pincho, de la tapa, banderilla o tentempié, o como se quiera llamar, y que en mi restaurante denominamos con una palabra tan sintética como expresiva: "picas" o "bocados", y de los que siempre servimos una selección como preámbulo del menú. Es innegable la fuerza que ha cobrado esta tarjeta de presentación, y no sólo como anticipo sabroso de un festín gastronómico, sino por lo que supone de fiesta lúdica de todos los sentidos.

La vista se recrea con estas joyitas provocadoras, casi siempre sorprendentes, con soportes originales, volúmenes enhiestos que retan muchas veces la gravedad y exaltan lo efímero. Los bocados muestran la faceta, tal vez más imaginativa, minimalista y osada de nuestra cocina, y que resulta difícil mantener en la parte, llamémosla "seria", de nuestra carta.

También el tacto es, asimismo, algo importante, trascendental, en buena parte de nuestros bocados. A muchos de ellos resulta casi obligado tomarlos con la mano, algo que puede parecer un retroceso al pasado, incluso al primitivismo, pero que conforma sin duda una decidida apuesta de futuro de los que defendemos un mayor compromiso con la naturalidad y el contacto directo con los mejores productos.

Texturas crujientes o mullidas, sensaciones heladas o calientes, hermanamiento de la dureza y la gelatinosidad. Líquidos chorreantes, cremas fundentes, airosas espumas, esencias naturales, burbujas dilapidadas y humo purificador y misterioso. Que de todo hay.
Casi de película.

En esta selección de bocados se pueden encontrar aromas en estado puro, gustosidad ligera, sabores con saber y técnicas rupturistas, con el paladar de siempre. Tradiciones desmontadas y convertidas en magia comestible. Complejidad que casi siempre nace de la más descarnada sencillez. Productos de aquí y de allá, convirtiendo lo exótico cada vez más en cotidiano, y todo ello con muchas dosis de imaginación que nos permitirá huir de la fatiga culinaria, del día a día sin horizontes y de la adormecedora rutina que convierte la cocina, lejos del contagioso amor que pretendemos, en cárcel doméstica. Recetas para interpretarlas no al pie de la letra, sino en un vuelo imaginativo con final tal vez controvertido, pero, en todo caso, abierto.

Demostrando, por todo ello, y una vez más, que lo de minicocina es sólo por el volumen y el tamaño, pero no por la riqueza de sus propuestas, que son divertidas, emocionantes y placenteras. Con la seguridad plena de que la innovación de hoy será la tradición del futuro.

Este libro se debe fundamentalmente al trabajo en equipo. He pasado muchas horas metido en la cocina con mi hija Elena, con Xabier Gutiérrez y con Igor Zalakain, y muchos días puliendo textos con Mikel Corcuera. También han sido muchas las horas pasadas con Mikel Alonso buscando los mejores enfoques fotográficos. Al final, ha merecido la pena.

Gracias a todos y que lo disfruten.

Juan Mari Arzak

índice

1

Salados fríos y templados

Salados calientes

Dulces fríos

Dulces calientes

Técnicas

1
2
3
4

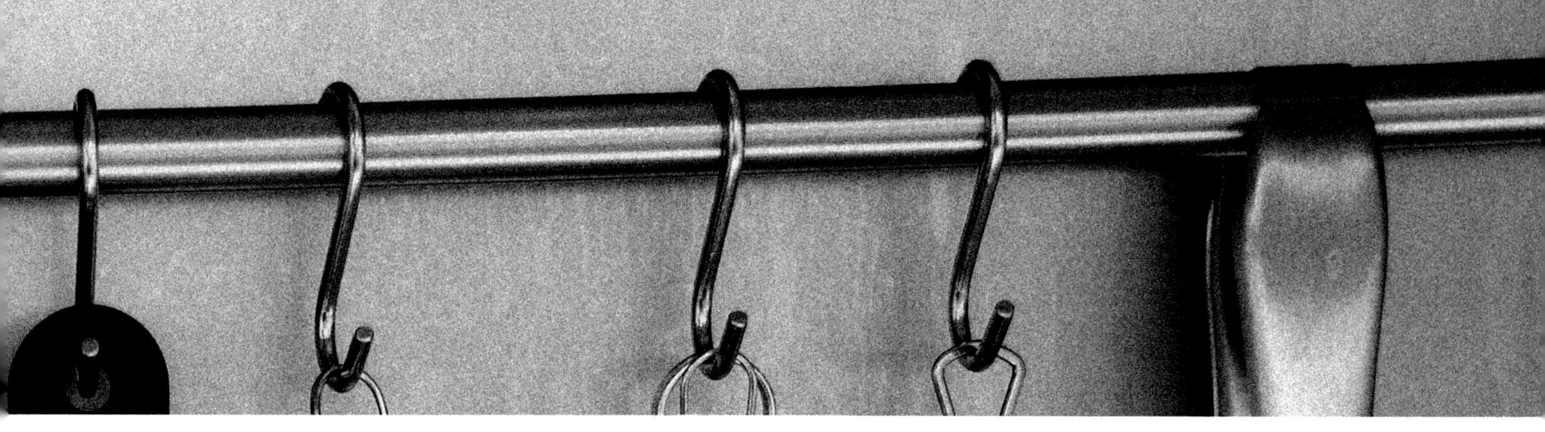

salados fríos y templados

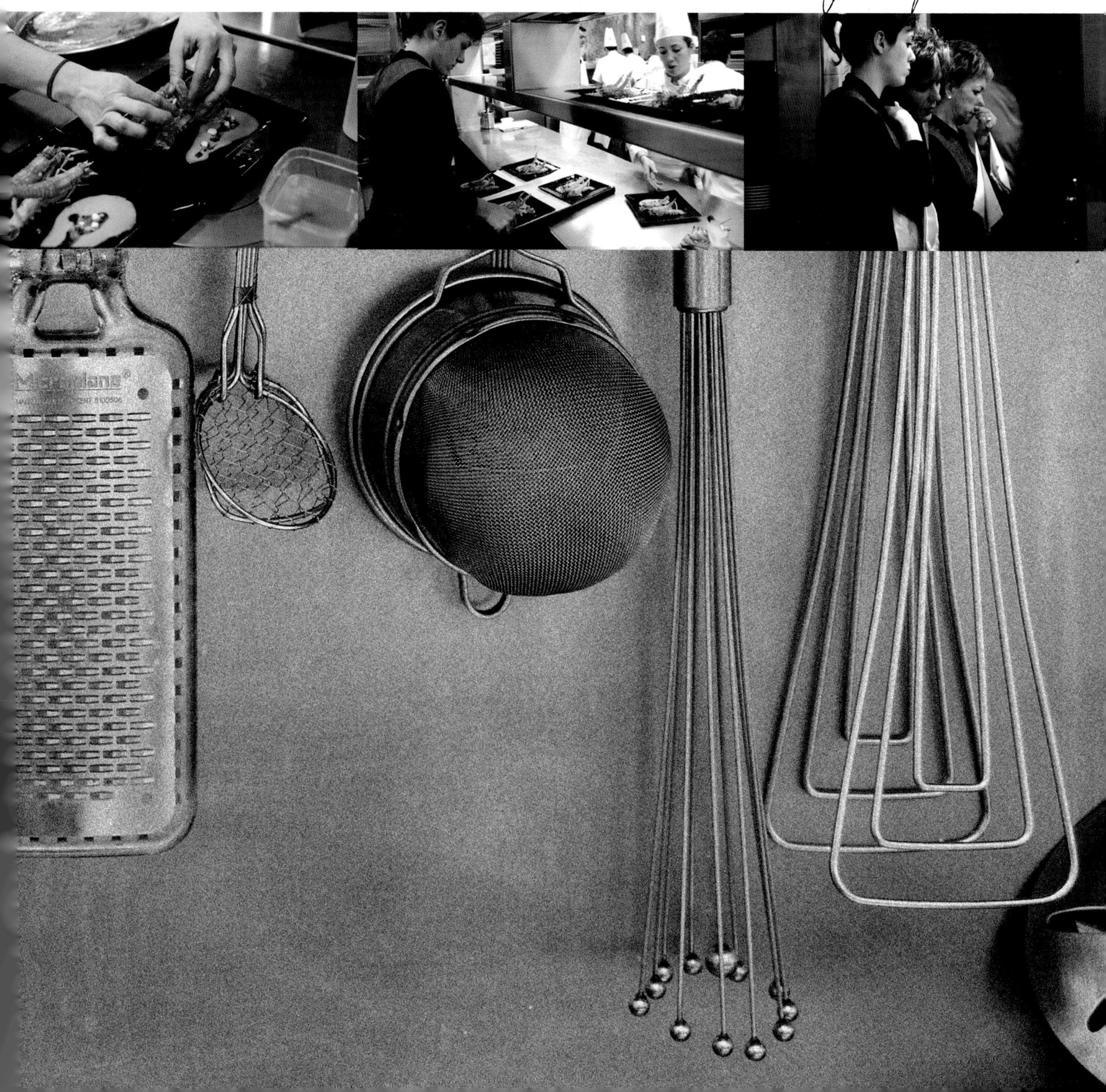

Queso de cabra con perejil

Ingredientes

(6 personas)

Para el queso de cabra
1 queso de cabra de aprox. 200 g

Para el licuado gelatinizado de perejil
200 g de perejil
4 g de Kappa
agua

Elaboración

Para el queso de cabra
Cortar el queso de cabra en rectángulos y sostenerlo con un palillo.

Para el licuado gelatinizado de perejil
Licuar el perejil y completar dicha cantidad del licuado rebajándolo con agua hasta que se obtengan unos 200 g de materia líquida. Añadir a este líquido resultante el polvo de Kappa y batirlo, hirviéndolo después. Dejar reposar 5 minutos.

Final y presentación

Bañar el queso de cabra en el licuado gelatinizado de perejil, se gelatinizará rápidamente.
Presentar de pie sobre una esponja pinchando el palillo en ella.

Si no encuentra

Kappa, emplee gelatina alimentaria.
Queso de cabra, utilice otro tipo de queso.

En España se solía decir que la cabra es "la vaca de los pobres". Principalmente porque es un animal muy servicial, y porque ha acompañado a los pastores durante siglos. Esto es cierto puesto que el uso de la leche de vaca, y la producción de lácteos derivados de la leche de vaca, es un fenómeno relativamente reciente que data desde la segunda mitad del siglo XIX. Con anterioridad a esta época lo normal era la utilización de la leche de cabra, y los pastores viajaban de una ciudad a otra vendiendo su leche y con lo que sobraba se preparaban quesos frescos que se vendían de casa en casa o en los pequeños mercados locales. Cada familia poseía un buen número de cabras que les abastecía de leche y queso, reemplazando a la de vaca, cuya leche es más difícil de digerir. La cabra es un animal típicamente mediterráneo, acostumbrado al calor y al clima seco; les gusta pasear por las montañas y se las puede encontrar en lugares donde normalmente otros animales no sobrevivirían. Existen muchas razas de cabras y diversos cruces de razas, se han establecido alrededor de 10 variedades, pero, de ellas, tres sobresalen porque su leche está especialmente dedicada a la producción de lácteos, estas variedades son la de Murcia-Granada, la de Málaga y la de las islas Canarias.

Zumo de piña con sardinas

Elaboración

Para el zumo de piña y puerro

Pochar con aceite y mantequilla la chalota y el puerro muy finamente picados. Sin que llegue a dorarse la verdura añadir la patata pelada y troceada. Picar un cuarto de la piña y rehogarla junto con la patata. Licuar el resto de la piña y reservar.

Agregar el agua y cocer a fuego lento. Cuando la patata esté blanda retirar del fuego. Triturar y colar en un chino fino. Añadir las hojas de gelatina, el zumo de piña y la nata líquida. Hervir y salpimentar. Meter en el frigorífico hasta que se gelatinice.

Para las sardinas

Macerar durante media hora las sardinas con el aceite de oliva, la sal gorda, la pimienta en grano y el zumo del limón verde. Transcurrido este tiempo, cortar los lomos de sardina en tiritas finas.

Final y presentación

Cortar las sardinas (maceradas) y hornear las tortillas sin dorarlas demasiado. Una vez horneadas se cortan en rectángulos. Sobre ellas colocaremos las sardinas maceradas ocupando la mitad de cada rectángulo y sobre las mismas la gelatina de piña. Agregar sobre la piña el perejil picado y el cártamo.

Si no encuentra

Tortillas mexicanas, utilice pan de molde tostado.

Ingredientes

(6 personas)

Para el zumo de piña y puerro

½ piña pelada
2 puerros
1 chalota
1 patata
20 g de mantequilla
2 cucharadas de aceite
1 dl de nata líquida
2 dl de agua
2 hojas de gelatina
pimienta blanca
sal

Para las sardinas

8 sardinas limpias sin espinas ni barbas
1 dl de aceite de oliva
sal gorda
pimienta en grano
limón verde

Además

2 obleas de tortillas mexicanas
una pizca de perejil picado
cártamo

Bloody Mary con berberechos

Ingredientes
(6 personas)

Para el Bloody Mary
4 tomates maduros
1 copa de vodka
2 gotas de tabasco
1 cucharadita de salsa
Worcerstershire
zumo de ½ limón
sal
pimienta

Para los berberechos
200 g de berberechos
2 cucharadas de aceite
1 hoja de gelatina

Elaboración

Para el Bloody Mary
Triturar los tomates e ir añadiendo el resto de los ingredientes, entre ellos el vodka. Rectificar de sal y mantener muy frío.

Para los berberechos
Saltear los berberechos a fuego vivo. Una vez abiertos, separar la carne de las conchas y reservar la carne. Al jugo resultante se le añade la gelatina y se deja enfriar.

Final y presentación

Cortar la gelatina en taquitos y colocarla en el fondo de los vasitos donde presentaremos el Bloody Mary. En el borde de estos vasitos situaremos los berberechos salteados y sujetos por un palillo.

Si no encuentra

Salsa Worcerstershire, prescinda de ella.

El veneno y el antídoto

Se ha dicho, y con razón, de este cóctel rabiosamente colorado, que es la bebida que consiguió catapultar al reino de lo popular al vodka, a pesar de que sea inevitable que en posteriores variaciones se haya optado algunas veces por utilizar otras bebidas alcohólicas. Entre otras historias y leyendas, se asegura que el mérito de la invención del Bloody Mary recae en un francés, Fernand Petiot, que en los años veinte dio con este brebaje fantástico, hoy ya universal, cuando trabajaba en el bar St. Regios en Manhattan, donde encandiló a su público nada más ofrecerse, creando una legión de "adictos" a este cóctel reconstituyente. De todas formas, en Europa, y en concreto en París, no llegó a conocerse hasta que el inventor de esta bebida no regresó de América a mediados de la década de los años treinta. Una versión peculiar y muy al gusto canadiense, que sirve un poco de base de inspiración a nuestra receta, es la que nos ha transmitido nuestro amigo Peru Almandoz, del restaurante donostiarra Urepel. Un preparado en el que interviene junto con el tomate el jugo de la almeja, un preparado que en Canadá se vende industrialmente con el nombre de Calamato, base de este cóctel que en el país citado bautizan de forma grandilocuente como Caesar. Con nombre de emperador romano o no, el caso es que del Bloody Mary se ha escrito abundantemente. Pero pocas definiciones han resultado tan brillantes como la que dio David Embury en el *Fine Art of Mixing Drinks* (El buen arte de combinar bebidas), donde lo describe como un ejemplo clásico de combinar en una bebida el veneno y el antídoto.

Croquetas de txangurro

Ingredientes
(6 personas)

Para el buey de mar
1 buey de mar
una pizca de regaliz en polvo
sal

Para la coliflor
200 g de coliflor

Elaboración

Para el buey de mar
Envolver el buey de mar en film transparente y cocerlo en el microondas (durante 6 minutos a 800 w); una vez cocido, retirar la carne por un lado y los corales por otro, repasando bien para que no queden trozos de cáscara. Sazonar y añadir el regaliz en polvo a la carne del crustáceo.
Una vez sazonada la carne, hacer unas bolas en forma de croqueta o quenelle.
Por otro lado, extender el coral sobre un papel vegetal y secarlo en el horno (a 60 grados hasta que esté deshidratado); una vez seco, se pulveriza en un molinillo y se reserva.

Para la coliflor
Cortar la coliflor en pequeñas flores (todo en crudo) y bien fría triturarla formando un granulado de coliflor.

Final y presentación

Mezclar el polvo de coral con el granulado de coliflor. Rebozar la carne del crustáceo con la mezcla antes reseñada. Presentar las "croquetas" sin que estén muy frías. El rebozado debe ser realizado como último paso antes de servir.

Si no encuentra

Regaliz en polvo, prescinda de él.
Buey de mar, sustitúyalo por otro crustáceo.

A peso, como el melón

Víctor Sueiro dio la definición más explicita que se puede dar sobre el buey de mar al comentar que es "un cangrejo muy grande y sabroso". Como buen gallego, también sabía que en su tierra lo llaman *esqueiro* debido a sus tenazas, de las que los mariscadores se servían para construir sus yesqueros o rudimentarios encendedores de mecha. En mi tierra, en el País Vasco, también ha recibido otra denominación curiosa, *petaka*, y ha sido muy común hacerlo pasar por txangurro, centollo que a pesar de tener una biología muy similar no ha tenido la misma consideración social. Sin embargo, hay que reivindicar que el buey es un excelente marisco, con un primer par de patas hermosísimas, muy desarrolladas, que llevan unas grandes pinzas (llamadas bocas) con las puntas negras y llenas de una carne delicada y plenas de sabor marino. Lo que sucede es que, como todos los cangrejos, sólo puede desarrollarse mudando su caparazón. Por eso hay que cerciorarse de que el buey está lleno, ya que es más sabroso antes de la muda, mostrándose vacío e insípido después de ella. Elíjalo, por tanto, como los melones, a peso, antes de que cambie de "vestido".

Caldo frío de rabo de buey y erla

Alma de las salsas

En el mundo de los caldos pasa como en botica, que hay para todos los gustos. Caldos de cocido, cortos, blancos, verdes... que nos aportan un amplio abanico de posibilidades, porque desde un simple caldo de legumbres a otros con mucho cuerpo y complejamente aromatizados y guarnecidos se vislumbran muchos matices. Lo que hay que tener en cuenta para que un caldo quede impecable es que todos los ingredientes han de ponerse bien limpios, cortados y las carnes previamente blanqueadas durante cinco minutos para evitar que esa antiestética espuma lo enturbie, anulando la limpidez deseada. No hay que olvidar que el caldo cuece al revés que el consomé, debe empezar hirviendo dulcemente y proseguir tapado y a borbotones durante largo tiempo. Un buen caldo es un lujo en sí mismo, pero además es un elemento imprescindible para cocer ciertas preparaciones en lugar del agua y para confeccionar y enriquecer ciertas salsas y sopas. Ya lo dijo Françoise Marin, afamado *chef* del siglo XVIII: "El caldo, alma de las salsas, la quintaesencia".

Ingredientes

(6 personas)

Para el caldo

400 g de rabo de vaca o buey troceado
300 g de pechuga de gallina
3 huesos de rodilla de vaca o ternera
1 hueso de tuétano
3 puerros
3 zanahorias
1 cebolla grande
½ rama de apio
1 hoja de hierbaluisa
unas ramitas de perejil
agua para cocer
1 pizca de pimienta blanca
sal

Para clarificar el caldo

3 claras de huevo
1 puerro muy picado
1 zanahoria muy picada

Para la erla

1 erla pequeña de unos 300 g
1 pizca de pimienta verde
2 cucharadas de vinagre de arroz
500 g de sal gorda

Elaboración

Para el caldo

Poner a cocer con abundante agua todos los ingredientes señalados, salvo la hierbaluisa, con las verduras peladas pero sin partir. Debe hervir muy lento (espumando constantemente al comienzo del hervor) durante tres a cuatro horas. Cuando transcurra el tiempo señalado retirar los ingredientes e infusionar durante 5 o 10 minutos con la hierbaluisa hasta que se enfríe el caldo. Una vez templado, retirar la grasa sobrante que queda en la superficie y la hoja de hierbaluisa.

Para clarificar el caldo

Batir las claras con la zanahoria y el puerro y echarlo al caldo. Acercar el caldo al fuego y tener hirviendo a fuego suave una media hora. Se formará en la superficie una costra de las claras y verduras, que hay que colar en un chino y meter en el frigorífico hasta que se gelatinice ligeramente el caldo.

Para la erla

Se abre por la mitad y se sacan los lomos sin piel ni espinas. Se hacen tacos con estos lomos y se maceran con el resto de los ingredientes durante 45 minutos.

Final y presentación

Colocar en cuencos pequeños el caldo y encima los tacos de erla pinchados en un palillo.

Si no encuentra

Hierbaluisa, utilice cualquier otra hierba.
Erla, utilice otro tipo de pescado: bonito, besugo, etc.
Pimienta verde, emplee pimienta blanca.
Vinagre de arroz, utilice vinagre de vino.

Arroz inflado, Camembert y ciruelas

Elaboración

Para el arroz inflado
Cocer el arroz en el agua con sal y con las hebras de azafrán al menos durante 50 minutos. Transcurridos éstos, escurrir bien y dejar secar unos 3 días, extendiéndolo en un lugar caliente, como, por ejemplo, encima de un horno. Cuando quede deshidratado y con aspecto pétreo reservar en sitio fresco.

Para la crema de queso y ciruelas
Macerar durante 3 horas las ciruelas con el oporto. Quitar la corteza exterior blanca del queso y desecharla. Triturarlo con las ciruelas y los demás ingredientes, batiendo todo hasta que quede muy cremoso.

Final y presentación

Partir las láminas de arroz seco y freír en pequeños trozos. Colocarlos en cada plato una vez escurridos, pegado un trozo contra otro con un poco de la crema de queso en el medio.

Si no encuentra

Queso Camembert, emplee cualquier tipo de queso cremoso, pero con sabor.
Nata doble, utilice una crema de leche normal.
Oporto, sustitúyalo por cualquier vino dulce.

Ingredientes

(6 personas)

Para el arroz inflado
50 g de arroz
unas hebras de azafrán
2 litros de agua
sal

Para la crema de queso y ciruelas
180 g de queso Camembert
4 ciruelas pasas picadas
1 copa de oporto tinto dulce
½ dl de leche
2 cucharadas de nata doble
una pizca de pimienta blanca.

Queso de ángeles

Es sin duda uno de los grandes quesos de Normandía. Dice la tradición que fue inventado en 1791 por Marie Hariel con la ayuda de un monje benedictino que huía de la Revolución y se refugió en su granja, situada en esta región llamada Camembert. Por lo visto, ambos consiguieron cambiar el procedimiento tradicional, logrando una corteza más consistente y fácil de conservar. En todo caso, lo cierto es que este tipo de queso ya se conocía bajo el nombre de Pays d'Auge desde el siglo XI, y, sin ir más lejos, en el *Roman de la Rose* de 1236 algún juglar listo y caprichoso ya lo describía como "queso de ángeles". Pero es a la señora Hariel a quien pertenece por derecho el mérito de lanzar al mundo esta delicia de queso tal y como es conocida hoy en medio mundo. Más tarde legó el secreto de su fabricación a sus hijas y sus consortes y éstos lo elevaron pronto al estrellato. De hecho, su yerno, Victor Paynel, dio a probar esta joyita quesera a Napoleón II y obtuvo sin objeción el apoyo imperial para comercializarlo. Los otros dos grandes hitos que cambiaron el transcurrir de este queso fueron en 1880 el acondicionamiento del Camembert en una caja de fina madera y la introducción, un poco más tarde, de los mohos que le dan un curioso color blanquecino.

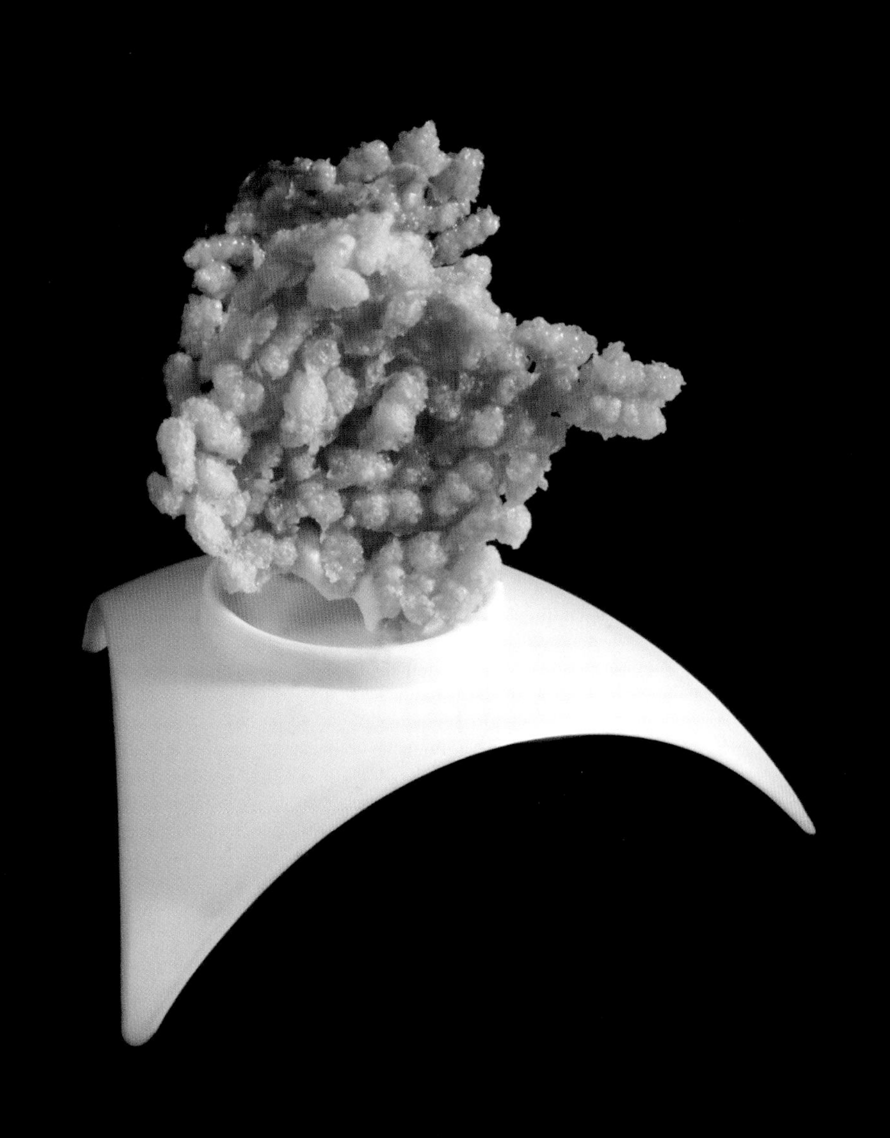

Anchoas cítricas

Elaboración

Para las anchoas maceradas
Limpiar bajo el chorro de agua fría las anchoas. Quitar la espina central, recortar las barbas y sazonar. Cortar los lomos de la anchoa en dos partes simétricas y añadir el zumo de naranja y pomelo y dejar macerar durante 15 minutos a temperatura ambiente. Transcurridos los 15 minutos, escurrir bien las anchoas e introducir en el aceite hasta su utilización.

Para la crema ácida
Pelar la naranja y el limón. Extraer los gajos de naranja y limón "a sangre" (sin ningún tipo de piel). Cortamos los gajos en trozos muy pequeños y añadimos el resto de los ingredientes, emulsionándolo ligeramente.

Final y presentación

Atravesamos dos lomos de anchoas con dos palillos y cubrimos con la crema ácida.

Si no encuentra

Pulpa de tamarindo, prescinda de ella.
Aceite de pepitas de uva, use otro aceite de semillas.

Ingredientes
(6 personas)

Para las anchoas maceradas
12 anchoas medianas
zumo de 2 naranjas
zumo de 1 pomelo
sal
½ dl de aceite de oliva virgen extra

Para la crema ácida
1 limón
2 naranjas
pulpa de tamarindo
perejil picado
1 cucharada de aceite de pepita de uva

Mejor que las angulas

Ya lo decía el siempre recordado gastrónomo vasco José María Busca Isusi hace muchos años al referirse a este pescado azul que hoy nos ocupa: "Es muy frecuente oír decir en una conversación de amas de casa: Si las anchoas fueran tan escasas como las angulas, las pagaríamos a mayor precio".
Y es que desde luego la anchoa en su corta temporada, al menos en lo que atañe a las costas del Cantábrico (de abril a junio), es uno de los mejores bocados marinos y además posee una versatilidad culinaria enorme. Posiblemente sean hoy día las reinas del picoteo, al menos en una ciudad que presume de ello como es San Sebastián. Y dentro de este hipotético reinado hay uno irrebatible: se trata del bar Txepetxa de la capital guipuzcoana. Esta casa nos ofrece un recital de este pescado con múltiples variantes: con crema de txangurro, al estilo mediterráneo, con aceituna negra, o la más exótica de todas, las anchoas Polinesia con coco rallado, un viaje a los mares del Sur sin salir de casa.

Ñame, aguacate y ostras

Elaboración

Para el ñame
Cortar el ñame en láminas finas de 6 x 3 cm aproximadamente. Una vez cortadas, escaldar en agua hirviendo con sal. Escurrir bien y freírlas a fuego lento, sin que coja color, hasta que estén crujientes. Sacar, escurrir y sazonar ligeramente. Reservar.

Para las ostras
Extraer la carne de las ostras de las conchas y reservarlas.

Para la crema de aguacate
Pelar el aguacate, retirando el hueso, y aplastar con un tenedor la carne, añadiendo la cebolla triturada y el tomate (pelado, despepitado y muy picado), así como el resto de los ingredientes.

Final y presentación

Sobre las láminas de ñame colocamos la crema de aguacate y las ostras.

Si no encuentra

Ñame, se puede sustituir por patata.
Cilantro y cebollino, utilice perejil.

Ingredientes

(6 personas)

Para el ñame
250 g de ñame
aceite de oliva (para freír)
agua
sal

Para las ostras
12 ostras

Para la crema de aguacate
1 aguacate (la pulpa)
1 cebolleta tierna muy triturada
el zumo de ½ limón
1 tomate pequeño
una pizca de cilantro (muy picado)
una pizca de cebollino (muy picado)
pimienta
sal

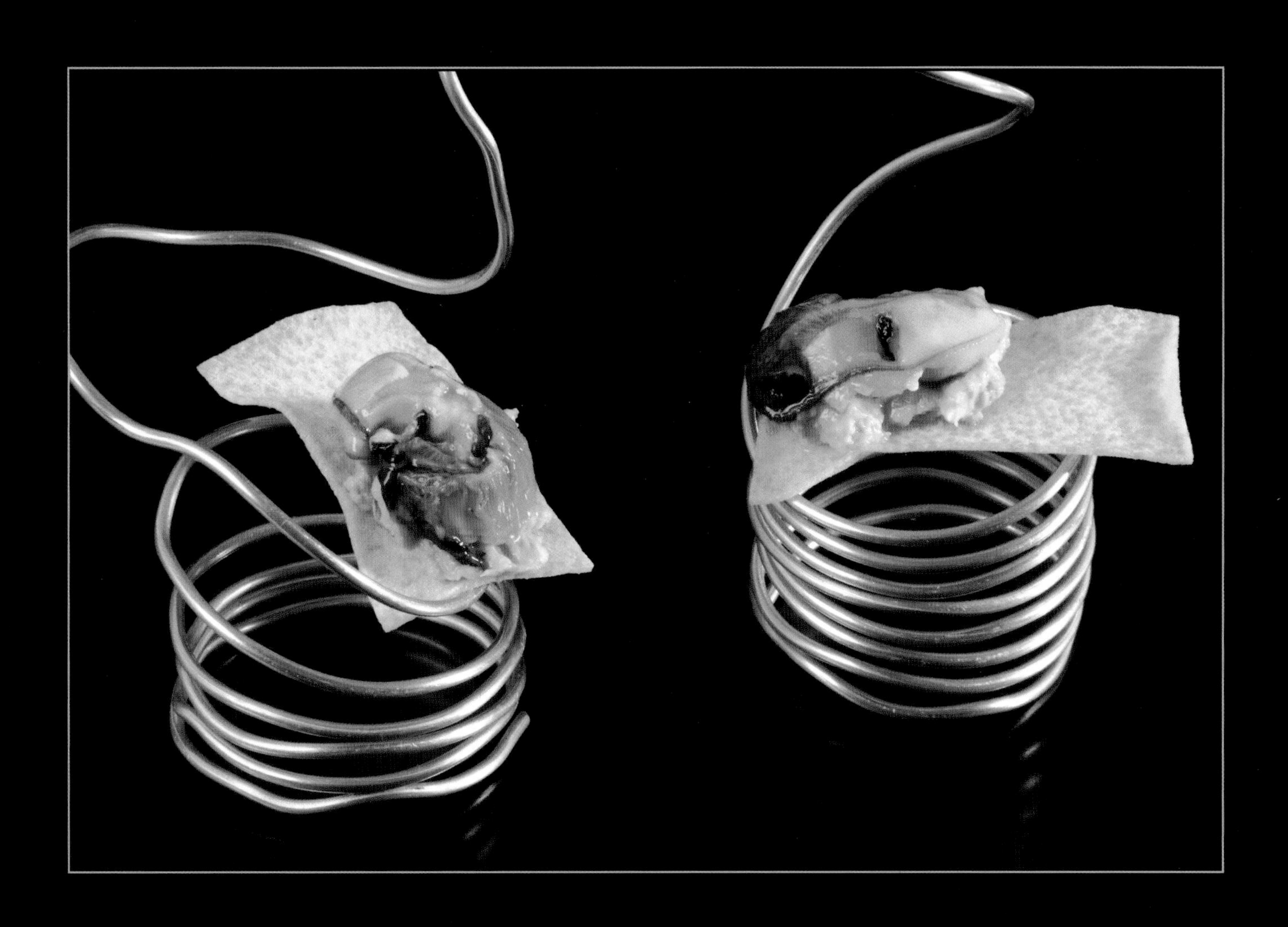

Láminas de begiaundi al viento

Ingredientes
(6 personas)

Para las láminas de begiaundi
1 begiaundi (calamar grande)

Para el rebozado del chipirón
100 g de palomitas de maíz
25 g de polvo de nuez de macadamia
sal

Elaboración

Para las láminas de begiaundi
Limpiamos bien el calamar (sólo utilizaremos el cuerpo, los tentáculos los reservaremos para otros usos). Hacemos cuadraditos de 6 x 6 cm; los apilamos (uno encima del otro) y los congelamos. Una vez congelados, cortamos con la máquina cortadora 12 láminas finísimas, sazonamos y reservamos.

Para el rebozado del chipirón
Pulverizamos las palomitas en un molinillo de café. Lo mezclamos con el polvo de las nueces de macadamia y sazonamos ligeramente el conjunto.

Final y presentación

Rebozamos las láminas de chipirón por ambos lados con la mezcla obtenida anteriormente. Las pinchamos en una esquina con un palillo y templamos el conjunto antes de servir.

Si no encuentra

Begiaundi, utilice sepia.
Nueces de macadamia, utilice avellanas o nueces.

Hay que precisar como cuestión previa que los begiaundi (que en euskera significa "ojos grandes") son unos calamares de gran tamaño (los más idóneos pesan alrededor de 400 g) que se pescan en las costas vascas, y que son más gustosos, si cabe, que los chipirones pequeños.
En la década de 1980, y sin despreciar la tradición vasca de los chipirones en su tinta (plato que adoro y respeto), intuí la necesidad de dar al chipirón, y al begiaundi en concreto, una interpretación más acorde con los tiempos actuales.
Metido de lleno en estas reflexiones, a caballo entre tradición e innovación, acerté a pasar por casa de un amigo, Casiano, propietario del restaurante Izkiña en el cercano Pasajes de San Pedro. Allí me ofrecieron (entre otras maravillas oceánicas) un calamar a la plancha con vinagreta. Lo encontré delicioso, pleno de tersura y suavidad.
Al regresar a mi restaurante puse a todo mi equipo (entonces con Fernando Bárcena a la cabeza) a trabajar, y no paramos hasta dar con la fórmula adecuada. Al principio sacamos el begiaundi sin la cama de cebolla y pimiento verde, pero resultaba algo seco. Asimismo, tuvimos el atrevimiento de añadirle hierbas aromáticas, en concreto romero, asociado hasta entonces más con el cordero o la caza.
Este "begiaundi al viento" resulta más actual no sólo por su presentación etérea (parece volar) y su curioso rebozado de un pulverizado de maíz y nueces de macadamia, sino, sobre todo, por su textura y nula cocción (tan sólo se templa para evitar su fría crudeza). Resulta sin duda un paso adelante en la culinaria innovadora de este molusco tan querido y valorado en mi entorno.

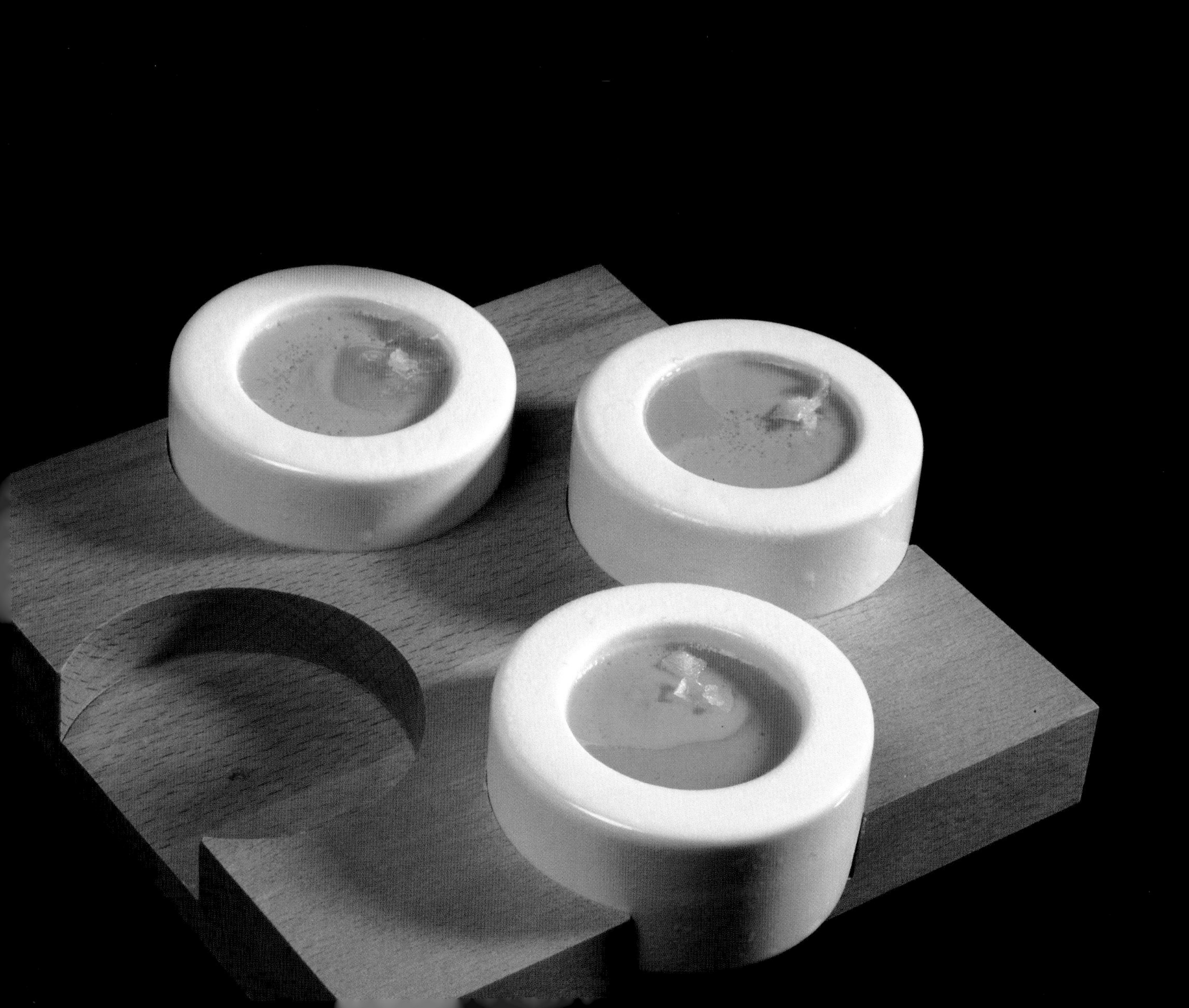

Mamia de guisantes

Ingredientes

(6 personas)

200 g de guisantes pelados
¾ de l de leche de oveja
100 g de nata
cuajo liquido artificial (unas gotas según las instrucciones que indique el fabricante)
sal
pimienta

Además
aceite de oliva virgen extra
sal de Maldón

Elaboración

Saltear los guisantes con una pizca de aceite y verter los guisantes sobre la leche de oveja ya hervida (dejar reposar 5 minutos) y triturar el conjunto con la nata. Salpimentar. Colar con un colador fino. Verter unas gotas de cuajo en los vasitos donde va a ir la mamia. Añadir la mezcla anterior en los vasitos cuando reduzca la temperatura de la mezcla a entre 34 y 36 grados. Dejar reposar en frío.

Final y presentación

Añadir unas gotitas de aceite de oliva virgen y un poquito de sal de Maldón en cada vasito donde se han elaborado, presentándolo en estos mismos recipientes.

Si no encuentra

Leche de oveja, puede hacerlo con leche de vaca.
Sal de Maldón, utilice sal gorda común.

La mamia: tan antigua como actual

La cuajada es un alimento de origen milenario. En el País Vasco es denominada mamia, un postre tradicional cuyo origen se pierde en la noche de los tiempos, y que ha subsistido con plena vigencia hasta la actualidad. La cuajada adopta diversos nombres a lo largo de la geografía vasconavarra. Así, por la zona navarra atlántica, por el valle del Baztán, se la conoce como *gaztanbera* (de *gazta*, queso, y *bera*, blando); en Vizcaya se la llama *gatzatun,* y por la regata del Bidasoa la podrán encontrar como *kallatua*, nombre derivado del francés *caillé,* o sea, cuajada. Los pastores del valle del Baztán siguen elaborando su peculiar cuajada, la *gaztanbera*, con rigurosa autenticidad, como hace miles de años, de forma totalmente artesanal y empleando una técnica inmemorial que no es otra que la utilización de leche de oveja latxa y cuajo natural, el calentamiento de la leche por medio de cantos rodados candentes, y el empleo para su elaboración de un cuenco de madera troncocónico llamado *kaiku*. Se cree, por tanto, que la cuajada ya se elaboraba por la zona del Baztán antes del descubrimiento de la cerámica.

Caldo de tomate y cereza

Ingredientes

(6 personas)

Para el caldo
250 g de tomates maduros
100 g de cerezas
40 g de aceite de oliva virgen extra
1 cucharada de vinagre de módena
pimienta negra
sal

Para los cubos de atún marinado
100 g de atún
¼ de l de agua
¼ de l de vinagre de vino blanco
½ dl de aceite de oliva
sal

Además
2 cucharadas de aceite de oliva virgen extra

Elaboración

Para el caldo
Cortar los tomates en trozos gruesos, deshuesar las cerezas y triturar ambas cosas emulsionando un poco con aceite de oliva. Colar en un chino, añadir el sazonamiento y el vinagre de módena.

Para los cubos de atún marinado
Cortar en taquitos el atún y marinarlo en la mezcla de agua y vinagre durante media hora, escurrirlo e introducirlo en el aceite hasta su uso.

Final y presentación

Escurrir los taquitos de bonito marinado, dar punto de sal e insertarlos en un palillo. Verter el caldo de tomate y cereza en unos vasitos pequeños y colocar sobre los mismos la brocheta de atún marinado. Agregar unas gotas de aceite de oliva virgen.

Si no encuentra

Vinagre de módena, haga una mezcla de vino dulce y vinagre de vino.

Rica, tersa y preciosa

La cereza es una de las frutas, además de gustosa y de carnosa textura, más bellas que existen. ¡Quién siendo un crío no ha jugado con ellas colocándoselas en la oreja, cuando se juntan sus tallos, como unos pendientes naturales y coloristas! Una hermosura que no sólo es virtud del fruto en sí, sino del árbol, del cerezo en flor. Así, en Japón, estos árboles son toda una pincelada pictórica, orgullo de sus campos, algo similar a lo que sucede en nuestro paradisíaco valle del Jerte.
Además, la cereza, preludio del verano, no es un fruto con mucha historia sino con prehistoria, pues su existencia parece que se remonta a la Edad del Bronce. Parece seguro que como muchas otras cosas proviene de Oriente, y las leyendas, siempre tan mágicas, señalan que fueron las aves migratorias las que en sus viajes transportaron desde Oriente las semillas del guindo silvestre, cayendo en los campos de lo que hoy es Europa y fructificando espontáneamente. Las cerezas ya fueron muy apreciadas en la antigua Roma y se cree que fue el general Lúculo el que, tras su victoria frente a Mitriades, rey del Ponto, trajo el cerezo como preciado botín. Lo más seguro de todo es que los árabes fueron sus más fieles publicistas divulgando el cerezo por toda el área mediterránea y, por supuesto, en nuestra península. Ya en el siglo XVI la cereza del citado valle del Jerte es piropeada por un médico de Plasencia, Luis de Toro: "Verás también todo género de cerezas, que ni Persia las tienen mejores. Cerezas de un gusto y tamaño extraordinario, rojas, negras y de un color intermedio parecido al vino".

Caldo de pepinillos helado y taro

Ingredientes
(6 personas)

Para el caldo de pepinillos
20 g de hojas de perejil
150 g de pepinillos en vinagre (escurridos)
1 l de agua
1 dl de aceite de oliva 0,4
30 g de miga de pan
sal
pimienta

Para el taro
5 taros
agua
sal

Además
perejil picado

Elaboración

Para el caldo de pepinillos
Triturar bien todo el conjunto de los ingredientes, colar y sazonar. Mantener el caldo frío con unas bolas de acero inoxidable, previamente congeladas.

Para el taro
Pelar el taro y cortar en cubos de 2,5 x 2,5 cm, y cocerlos en agua con sal unos 12 minutos aproximadamente.

Final y presentación

Colocar en un vasito el caldo de pepinillos sobre el que pondremos una bolita de acero inoxidable helada y a su lado un cubo de taro embadurnado con perejil picado y atravesado por un palillo.

Si no encuentra

Taro, emplee cubos de patata cocida embadurnada en perejil.
Bolas heladas de acero inoxidable, utilice cubitos de hielo.

Lo exótico de ayer, hoy es habitual

En esta receta hemos combinado dos elementos bien diferentes. Uno de ellos muy conocido desde antaño: los pepinillos. Por otro lado, un ingrediente muy novedoso y sorprendente: el taro. Siendo también muy incitante la temperatura casi helada del caldo conseguida por un sistema instántaneo gracias a unas bolitas de acero que en su interior tienen un líquido que se congela (hace unos años se llamaban bolas finlandesas, pero eran de plástico), sustituyendo a los clásicos cubitos de hielo y que evitan que el caldo se quede aguado.
En cuanto a los pepinillos, este nombre proviene del latín *Cucumis.* Hace 300 años los ingleses lo llamaron *cucumber.* Los pepinos se originaron en la India, entre la parte norte del golfo de Bengala y las montañas del Himalaya. Fueron cultivados en China alrededor del siglo II a.C. El emperador romano Tiberio comía pepinos diariamente. Colón plantó pepinos en Haití y otras islas en 1494. Los exploradores franceses encontraron indígenas cultivando pepinos en el área que es ahora Montreal, alrededor del año 1535. Hernando de Soto, explorador español, encontró cultivos de pepinos en la actual Florida, alrededor del año 1540.
En cuanto al taro, se trata de un tubérculo (como la patata y el tupinambo) conocido también como *Colocasia,* y que posee un sabor especial dentro de su neutralidad gustativa y una textura que contrasta a la perfección con el caldo helado.

Cogollos y anchoas en celofán

Ingredientes

(6 personas)

2 cogollos
1 lata de anchoas en salazón o en aceite de calidad
12 pepinillos en vinagre de pequeño tamaño
1 cucharada de aceite de oliva virgen extra
2 cucharadas de queso fresco cremoso

Elaboración

Deshojar los cogollos y cortar en rectángulos. Sacar de la lata y escurrir las anchoas. Colocar un celofán, tipo papel de caramelo, rectangular sobre el que situaremos un trozo de cogollo, una anchoa doblada y un pepinillo, una cucharadita de queso fresco y unas gotas de aceite, colocando encima otro rectángulo de cogollo. Doblar el papel sobre sí mismo, envolviéndolo como los caramelos. Cerrar bien cada bolsita por los dos extremos.

Final y presentación

Se presentan envueltos en el mismo celofán, retirándolo el propio comensal.

Lazos de plátano

Ingredientes
(6 personas)

Para el plátano macho
1 plátano macho grande
aceite de oliva 0,4 (para freír)
regaliz en polvo
sal

Para el preparado de arraitxiki
200 g de arraitxiki limpios (erlas, muxarritas, durdos, chicharrillos, carraspios, doncellas, etc.)
1 diente de ajo
100 g de queso fresco
20 g de salsa de soja
pimienta de jamaica
cebollino picado
una cucharada de aceite de oliva
sal

Elaboración

Para el plátano macho
Pelar el plátano y cortar longitudinalmente lo más fino posible. Doblar por la mitad de tal manera que en el medio se forme un cono. Sujetarlo con un palillo y freírlo en abundante aceite caliente; cuando esté dorado, sacarlo y retirar con cuidado el palillo pues se puede romper con facilidad. Sazonar y espolvorear con el regaliz en polvo. Reservar en un lugar fresco y seco.

Para el preparado de arraitxiki
Dorar el ajo picado con muy poco aceite, añadir la carne de arraitxiki toscamente picada y saltear todo. Retirar, dejar enfriar y añadir los restantes ingredientes.

Final y presentación

Rellenar los conos con el preparado de arraitxiki (a temperatura ambiente).

Si no encuentra

Pimienta de jamaica, use pimienta negra.

Pertenece a la familia de las musáceas, que incluye los plátanos comestibles crudos (*Musa cavendishii*), los bananitos o plátanos enanos (*Musa x paradisiaca*) y los plátanos machos o para cocer (*Musa paradisiaca*). Al plátano macho también se lo conoce como "plátano de guisar o hartón", más grande y menos dulce que el resto de variedades de su misma familia. El plátano macho y el bananito son propios del suroeste asiático, y su cultivo se ha extendido a muchas regiones de Centroamérica y Sudamérica, así como al África subtropical, constituyendo la base de la alimentación de muchas regiones tropicales.
El plátano macho es una fruta que se consume exclusivamente cocinada, sin que la cocción altere su contenido de hidratos de carbono (almidón). Por lo general, se guisa de igual modo que se cocinan las patatas y las hortalizas (cocido, frito, asado, al horno...), y también se puede emplear como ingrediente de ciertas sopas. El plátano macho, en diversos países tropicales, sirve para producir una harina que se utiliza para la elaboración de pan de alto valor alimenticio, que se obtiene por deshidratación de la pulpa.

Nabos a la plancha

Ingredientes
(6 personas)

Para los nabos
1 nabo grande

Para la vinagreta
1 pizca de cártamo
1 cucharadita de perejil picado
50 g de aceite de oliva virgen extra
10 g de vinagre de arroz
1 pizca de sal y pimienta

Además
aceite de oliva

Elaboración

Para los nabos
Pelar el nabo y cortar en cubos de 2 x 2 cm aproximadamente.

Para la vinagreta
Mezclar bien los ingredientes y sazonar con sal y pimienta.

Final y presentación

Colorear sobre una sartén caliente los cubos de nabo con una pizca de aceite; una vez hechos, atravesar los cubos con palillos largos de madera. Salsear con la vinagreta y presentar los cubos ensartados uno sobre otro.

Si no encuentra

Cártamo, emplee colorante alimenticio.
Nabos, utilice el blanco de puerros jóvenes.

El nabo (*Brassica rapa*) es una hortaliza cultivada comúnmente en los climas templados de todo el mundo por su suculenta raíz bulbosa. Las variedades tiernas se utilizan para el consumo humano, mientras que las mayores se destinan a forraje para el ganado. Los nabos son muy populares en Europa, en particular en las regiones más frías, ya que se pueden almacenar durante varios meses después de la cosecha.

Fideos con piña

Ingredientes
(6 personas)

Para los fideos con piña
1 piña
100 g de pasta kataifi
una cucharada de aceite de oliva

Para la vinagreta
1 pata de cerdo cocida
100 g de aceite de oliva
15 g de vinagre de jerez
una cucharada de salsa de soja
sal
pimienta
orégano

Elaboración

Para los fideos con piña
Pelar la piña y cortarla en tacos. Envolver éstos con la pasta kataifi. Freír en una sartén por ambos lados.

Para la vinagreta
Picar la carne de la pata de cerdo en pequeños cubos (en frío) y mezclar con el resto de los ingredientes.

Final y presentación

Servir los fideos con piña acompañados por la vinagreta.

Si no encuentra

Pasta kataifi, emplee los fideos de pasta de trigo más finos que encuentre.

La piña que cruje

Alguien ha dicho, con una precisión descriptiva encomiable, que la piña es majestuosa incluso en su envergadura. Y es que este elemento inequívoco de un bodegón de frutas exóticas que se precie apasiona por su belleza y sobre todo por su inconfundible aroma y jugosidad. Conocida como piña americana, o en su otra voz castellana, ananás (o sin acento en su voz científica: *Ananas cormosus*), palabra que procede de la expresión en guaraní de esta delicia natural. Una fruta que es el resultado de la fusión de gran multitud de flores separadas que confluyen para formar este regalo de la naturaleza. Los indígenas de la isla de Guadalupe llamaban a este tipo de piña "Nana meant", o sea, "la fruta exquisita", y cuando Colón desembarcó con su tripulación en las Antillas en 1493 se la ofrecieron como señal de paz y bienvenida. Por eso, unos años después un párroco hugonote francés decidió bautizar a esta fruta como "Ananaz" por la similitud y recuerdo con el término indio original de "nana". Los españoles se decantaron por llamarla "piña" ya que no podían obviar su parecido con el fruto del pino. Fuera como fuese, el hecho es que en la actualidad su aplicación culinaria, tanto en platos dulces como salados, y por supuesto en refrescantes postres, es apabullante. Su delicadeza y sibaritismo han dado lugar a fórmulas insustituibles como el pato a la piña, de origen chino, gran cantidad de recetas antillanas y criollas aderezando diversas carnes grasas, o en rellenos, sorbetes y sopas frías. En cuanto a la pasta kataifi, es una pasta especial hecha a base de fideos de harina de trigo. Estos finísimos fideos son típicos de Grecia. Se compran hechos y son como ovillos con los que se envuelven lo que se quiera. En este caso envolvemos la jugosa piña para convertirla en un bocado crocante, tan en boga hoy día.

Corcón (mújol) con pan de ajo

Elaboración

Para el corcón

Sumergir el lomo de corcón en el zumo de pomelo durante 15 minutos, sacar y espolvorear con la cáscara de pomelo rallada. Pintar levemente con aceite de oliva y reservar.

Para la sopa de ajo

Rehogar el ajo hasta que esté dorado, añadir el pan de pistola troceado y poner a hervir junto con el caldo de ave durante media hora a fuego suave. Filtrar el conjunto hasta obtener un caldo con el que remojaremos los panes dispuestos sobre una rejilla de una deshidratadora a 55 grados. Cuando estén secos, reservar en un lugar seco y en un recipiente hermético con gel de sílice.

Final y presentación

Cortar láminas finas del lomo de corcón y depositarlas artísticamente sobre las rebanadas de pan, sirviéndolas en el acto.

Si no encuentra

Corcón, utilice lubina, bacalao...
Pomelo, utilice ralladura de limón y naranja

Ingredientes

(6 personas)

Para el corcón

100 g de lomo de corcón (limpio de espinas)
zumo y ralladura de 1 pomelo

Para la sopa de ajo

6 dientes de ajo
1 pan de pistola
aceite de oliva
1 l de caldo de ave
12 rebanadas de pan finas

Lo pobre es rico

Las sopas de ajo y sus variaciones tienen sin duda una historia apasionante. Hasta tal punto que incluso algunos historiadores aseveran que algo similar a las sopas de ajo ya se consumían en la zona occidental de nuestra península por parte de los guerreros vacceos antes de entablar sus batallas con las legiones romanas. Es paradójico cómo lo exiguo de su coste las siga perpetuando en el cliché de comida de pobre. Ya avisa el antiguo refrán castellano que "A ninguno dieron veneno en las sopas de ajo". Y es que en las épocas en que los más molestos rivales se eliminaban del mapa político con un certero brebaje mortal, casi siempre perteneciente a la nobleza y los reyes, las clases poderosas no colmaban sus apetitos precisamente con sopas de ajo sino con otro tipo de manjares y bebidas propios de su alcurnia. Las sopas, y en concreto las elaboradas con ajos, eran cosa de la plebe. De la plebe y de la riqueza gastronómica de toda la geografía hispánica, ya que siempre ha habido una gran profusión de sopas de ajo. En la zona de Cádiz, por ejemplo, se llama sopa de gato. En otras zonas del sur se le añade huevo duro y se le llama "ajo caliente". "Ajo batido" se llama a cierto tipo de sopas que se elaboran con el bulbo entero y que quedan como una especie de cremoso puré. Los condimentos, además del ajo, son también diversos según el gusto de cada zona. En Galicia se añade laurel, en Andalucía, cominos, y en la cornisa cantábrica se le agrega en lugar de pimentón tomate o choriceros.

Césped de carabineros

Ingredientes
(6 personas)

Para los carabineros
12 carabineros
sal

Para el césped
150 g de espinacas
20 g de perejil
1 cebolleta asada
40 g de praliné de almendra sin azúcar
20 g de xylitol

Elaboración

Para los carabineros
Cortar las patas interiores del carabinero con ayuda de unas tijeras y sacarlas de una pieza, formando un pequeño rosario. Pelar la cola de los carabineros y dejarlos en maceración con el jugo crudo extraído por simple presión de las cabezas. Reservar no más de 1 hora. Sazonar.

Para el césped
Escaldar las espinacas con el perejil durante 30 segundos, escurrir y triturar el conjunto. Añadir los ingredientes restantes hasta formar una pasta espesa, sazonar y reservar.

Final y presentación

Freír hasta que estén crujientes los "rosarios" de las patas de los carabineros. Saltear las colas. Pintar el fondo del plato con la pasta verde elaborada con anterioridad. Dejar secar levemente y disponer sobre ella el carabinero y sus patitas. Acompañar con un poco más de la pasta verde para que se pueda untar en ella.

Si no encuentra

Praliné de almendra sin azúcar, prescinda de él.
Xylitol, sustitúyalo por azúcar.

El xylitol es una molécula natural compuesta por 5 carbonos que puede encontrarse en muchas frutas y verduras, aunque comercialmente se obtiene de la madera de abedul. Tiene un sabor dulce equivalente al de la sacarosa en intensidad pero de calidad ligeramente diferente. Pertenece al grupo de los ponoles, entre los que encontramos moléculas como el sorbitol, manitol, maititol y lactitol.

Referencia histórica
En septiembre de 1890 el químico alemán Emil Herman Fischer y su ayudante Rudolf Stahel aislaron de la madera de haya un compuesto nuevo al que llamaron xylit (xylitol en alemán). Más tarde, en 1902, el doctor Fischer fue premiado con el Nobel de Química por su aportación a esta disciplina.
Casi simultáneamente a Fischer M.G.Bertrand consiguió aislar jarabe de xylotol tratando avena y centeno. Por lo cual, el descubrimiento del xylitol se debe a dos grupos de investigadores. Durante las siguientes cinco décadas el xylitol recibió muy poca atención; sin embargo, en la década de 1950 el doctor Oscar Touster descubrió por casualidad que en los humanos el metabolismo del xylitol estaba asociado a la pentosuria. El trabajo de Touster cambió mucho la situación, y alrededor de 1955 él y sus colaboradores llegaron a la conclusión de que el xylitol también se forma en el cuerpo humano.

Anchoas en láminas de tocino

Ingredientes
(6 personas)

Para las anchoas
12 anchoas
½ kg de sal gorda
100 g de azúcar
½ l de aceite de oliva

Para las láminas de tocino
½ kg de tocino
1 g de eneldo en polvo
1 g de coriandro en polvo
1 tomate

Elaboración

Para las anchoas
Limpiar las anchoas, quitándoles las cabezas y espinas. Enterrarlas en la mezcla de sal y azúcar. Transcurridos 15 minutos, se limpian y se sumergen en aceite de oliva durante media hora.

Para las láminas de tocino
Cortar (con ayuda de una maquina cortadora) láminas de tocino rectangulares del tamaño de las anchoas. Aparte, cortar dados del mismo tocino que irán espolvoreados con la mezcla realizada anteriormente (eneldo y coriandro).

Final y presentación

Extender las láminas de tocino poniendo encima de cada una 1 anchoa. Los pequeños dados encima de ésta culminan la preparación. Doblamos sobre sí misma la anchoa presentándola en un plato y decorándola con las semillas del tomate (que previamente hemos separado). En el momento de servir se aplica calor con un decapador durante 5 segundos para que la lámina de tocino se vuelva transparente.

Si no encuentra

Eneldo, emplee perejil.
Coriandro, puede usar sus semillas molidas.

Para comprobar si el tocino de jamón ibérico es de buena calidad, es decir, criado el cerdo con bellota y no de recebo, basta presionarlo con el dedo; si resbala y deja huella será de calidad, por el contrario, si es de recebo apenas deja rastro y su textura es más rígida.

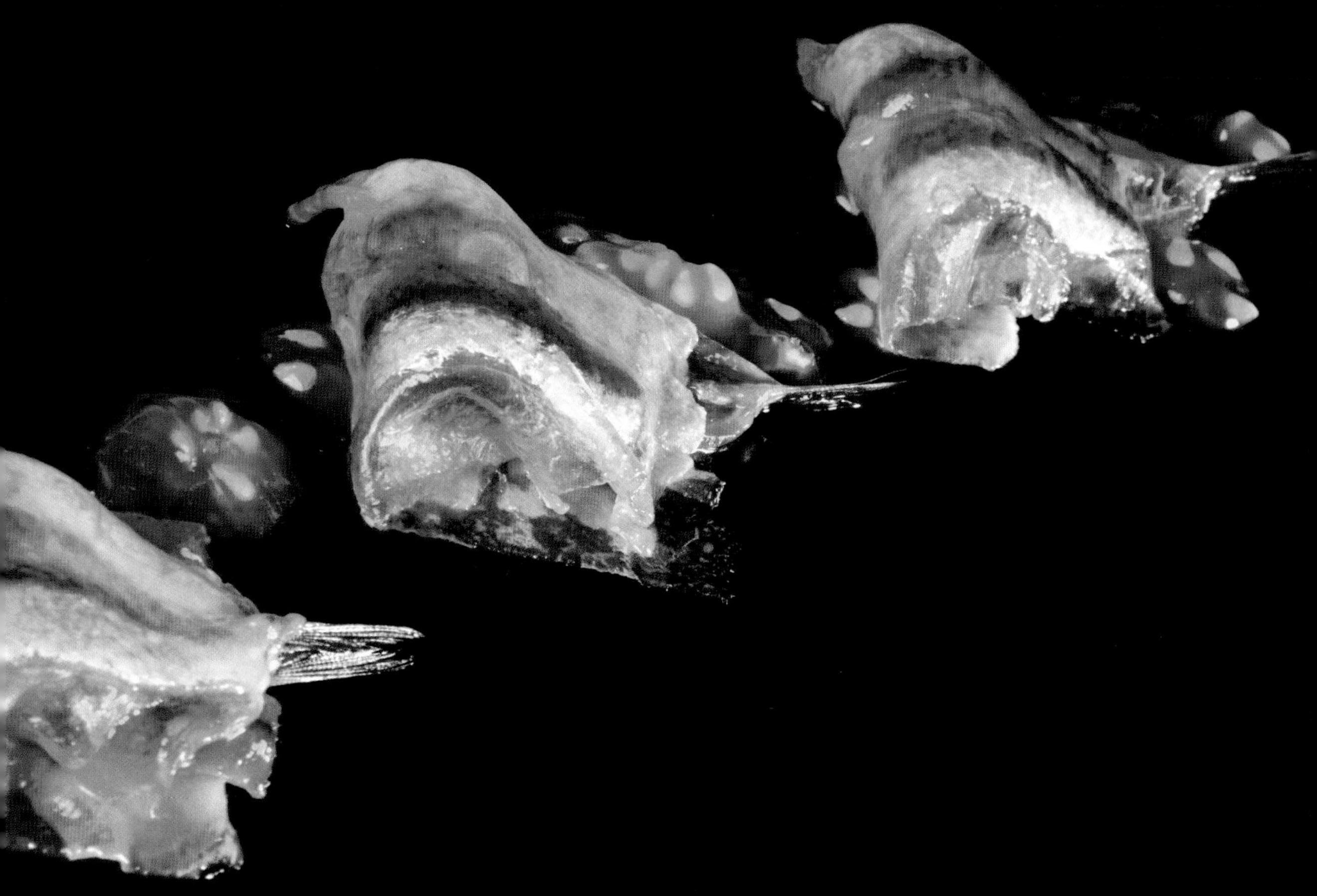

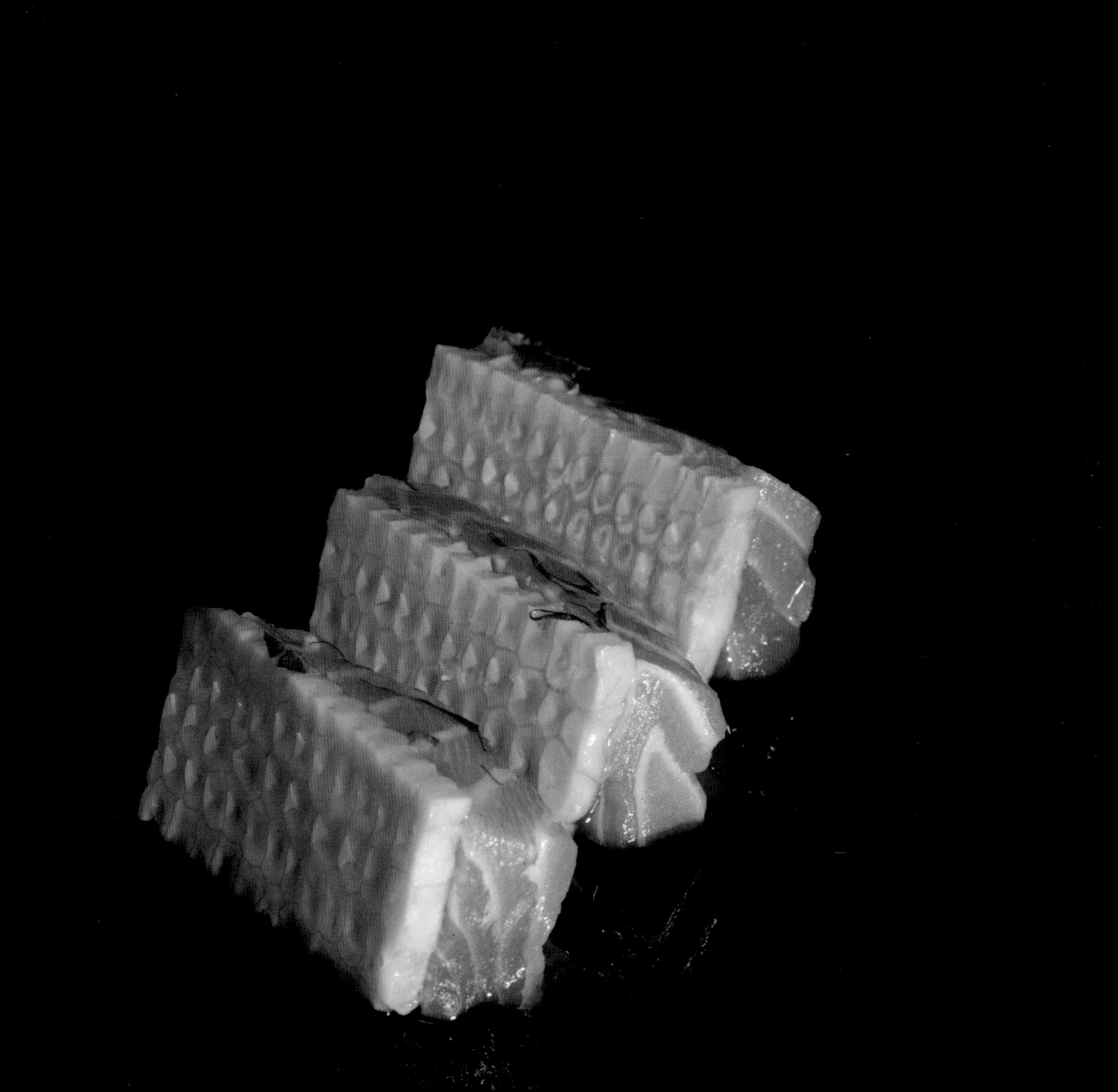

Empedrado de maíz con salmón

Ingredientes
(6 personas)

Para el salmón
150 g de salmón
½ l de infusión de manzanilla
30 g de sal fina
1 dl de aceite de oliva 0,4

Para el empedrado de maíz
2 mazorcas de maíz dulce precocinado

Además
sal de Maldón

Elaboración

Para el salmón
Cortar el salmón en filetes rectangulares (de 5 x 3 cm) e introducirlos en la mezcla diluida de sal (previa visualización exacta del grado de salinidad) e infusión de manzanilla, dejándolos en ella 12 minutos. Secar e introducir en aceite de oliva y reservar.

Para el empedrado de maíz
Cortar finos rectángulos del exterior de las mazorcas de maíz de la misma medida que los del salmón.

Final y presentación

Templar ligeramente las láminas de maíz sobre aceite de oliva y pegar unas láminas a otras como si estuviésemos haciendo un sándwich de salmón. Sazonar el maíz.

Si no encuentra

Sal de Maldón, use sal gorda común.

Muesli de foie gras

Ingredientes
(6 personas)

Para la terrina de foie gras
1 hígado de pato de 500 g aprox.
1 vaso de oporto
agua
sal
pimienta

Para el muesli
20 g de miga de pan
15 g de avellana en trozos
15 g de almendra en trozos
15 g de nuez pelada en trozos
25 g de mantequilla derretida
15 g de azúcar isomalt
4 g de fécula de maíz
15 g de vino blanco
5 g de mijo
sal

Para la infusión de buganvilla
100 g de consomé de ave
15 g de azúcar
10 g de zumo de limón
2 g de flores secas de buganvilla.
2 g de carmelosa sódica
sal

Elaboración

Para la terrina de foie gras
Abrir el foie por la mitad. Con la ayuda de un cuchillo pequeño y puntiagudo quitar todas las venas. Limpiar con el cuchillo, raspando los rastros verdosos que pueda haber a consecuencia de la hiel. Salpimentar por todos los lados y regar por encima con el oporto. Envolver en un paño o papel plastificado. Tener así durante 8 horas en el frigorífico.

Transcurrido este tiempo, colocar los dos lóbulos del hígado en un molde de horno rectangular (propio de terrinas o pudines). Poner encima de la terrina de foie gras un peso y meter al horno a 80 grados durante 1 hora y cuarto.

Para desmoldar, una vez frío poner el molde bajo el chorro de agua caliente (con cuidado de no mojar su interior). Al sacarlo se deja enfriar aún más.

Una vez frío, cortar dos rodajas (6 x 6 cm) por persona.

Para el muesli
Amasar todo suavemente y hacer unas galletas irregulares, aproximadamente de la medida de las rodajas de foie, sobre un silpat. Hornear a 175 grados hasta que quede crujiente.

Para la infusión de buganvilla
Hervir el caldo de ave y añadir las flores de buganvilla. Dejar infusionar durante 5 minutos y colar. Calentar levemente y añadir la carmelosa sódica. Diluir bien y hervir durante unos instantes. Incorporar el zumo de limón, colar, sazonar y dar punto de azúcar. Ha de quedar un poco agridulce.

Final y presentación

Colocar las láminas de foie gras apoyadas sobre el muesli. Acompañar con la infusión de buganvilla.

Si no encuentra

Oporto, emplee un vino dulce.
Azúcar isomalt, use azúcar blanquilla.
Mijo, prescinda de él.
Carmelosa sódica, use cualquier tipo de almidón.

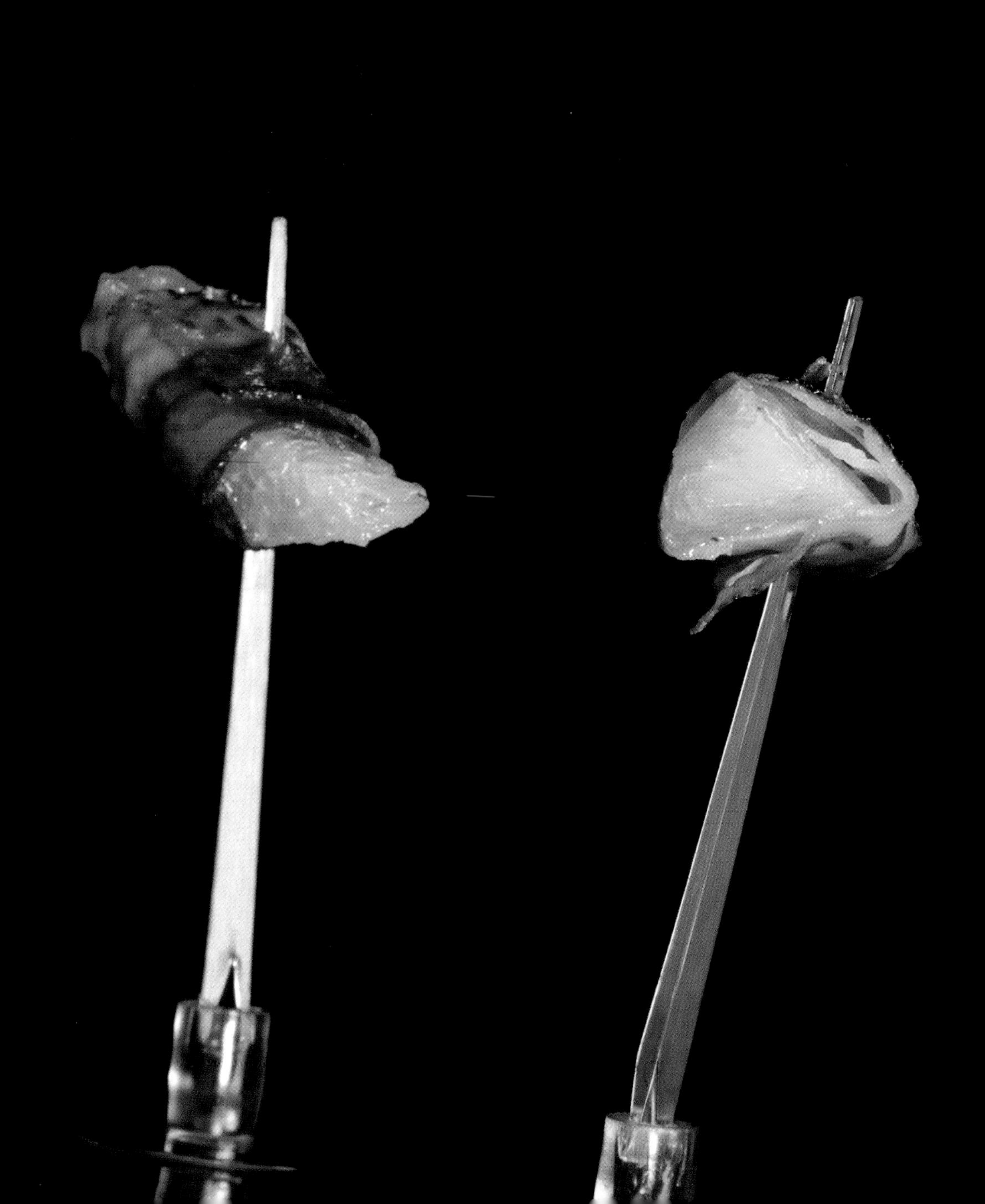

Naranja bacón

Elaboración

Cortar los gajos a sangre (sin ningún tipo de corteza), trocear de forma rectangular, espolvorear con algarroba y rama de vainilla congelada recién ralladas. Echar una pizca de tandori.
Envolver los trozos de naranja en el bacón y pasarlos por una sartén caliente hasta que estén dorados.

Final y presentación

Ensartamos en una brocheta de plástico que se sitúa sobre una ventosa de manera que se presenta de forma vertical.

Si no encuentra

Vaina de algarroba, prescindir de ella.
Tandori, use una mezcla de especias como pimentón, jengibre, pimienta negra, canela y clavo.

Ingredientes

(6 personas)

2 naranjas grandes
12 lonchas finas de bacón
1 vaina de algarroba
1 vaina de vainilla (congelada y rallada)
1 pizca de tandori

El término bacón, como tantos otros en gastronomía, procede del francés antiguo, de la palabra *bakko*, "jamón", que venía a designar la pieza de cerdo salada o al cerdo entero. De hecho, en la antigüedad un banquete de gala en el que sólo se servían platos de cerdo era denominado como "comida bacónica". Lo que sucedió es que el inglés enseguida se encargó de apropiarse la palabra y por eso en la actualidad al hablar de bacón de inmediato nos vienen reminiscencias anglosajonas. Sin embargo, la pasión por el tocino y los torreznos, que son los trozos de tocino fritos y crocantes, tiene en España una gran tradición desde antaño. E incluso hermosas referencias literarias, en concreto cervantinas, que incluían en la dieta habitual del genial hidalgo los poéticos "duelos y quebrantos". Al parecer, este plato, que se elaboraba con cecina, tocino, chorizo y huevos, sólo se podía comer los sábados, ya que según una antigua costumbre (que acabó siendo abolida en 1742 por el papa Benedicto XIV) en Castilla en sábado no se comía carne fresca ni sebos, y se aprovechaba para consumir la cecina preparada con la carne de las reses que se habían desgraciado o habían muerto en la trashumancia o en el corral. El singular enunciado "duelos y quebrantos" al parecer le viene dado por el dolor que causaba a los dueños de las ganaderías la pérdida de parte de sus animales y por el hecho de que se solían romper sus huesos para aprovechar la médula en caldos y pucheros, de ahí lo de "quebrantos". En cualquier caso, la cecina o carne ahumada solía ser de cerdo para distinguir a los cristianos viejos de los judíos, que en sábado comían la adafina, compuesta solamente por carne de cordero o vaca, ya que el cerdo era un animal prohibido y pecaminoso, al igual que para los moriscos. Y es que como dice el popular refrán, "el tocino tiene muchos enemigos, desde los moros hasta la gente fina". Y hablando de refranes, uno bien machista al respecto es el que dice: "El tocino hace la olla, el hombre la plaza y la mujer la casa".

Chips de castañas con almejas

La castaña es un fruto entrañable, sobre todo por la asociación inmediata que nos trae el inolvidable cucurucho al frío invernal y al trasiego de personas por las calles de cualquier ciudad. Pero también es un fruto indisociable de las tierras gallegas. Fue su producto emblemático hasta que una terrible plaga hizo que casi desaparecieran, y curiosamente propició que se iniciara el cultivo de la patata en Galicia allá por 1750. En cualquier caso, esta comunidad sigue siendo la principal productora española de castañas, y todavía puede probarse allí ese maravilloso caldo elaborado con este fruto, y en algunos casos esas deliciosas castañas cocidas con un toque de anís, que fueron un postre bastante popular durante siglos.

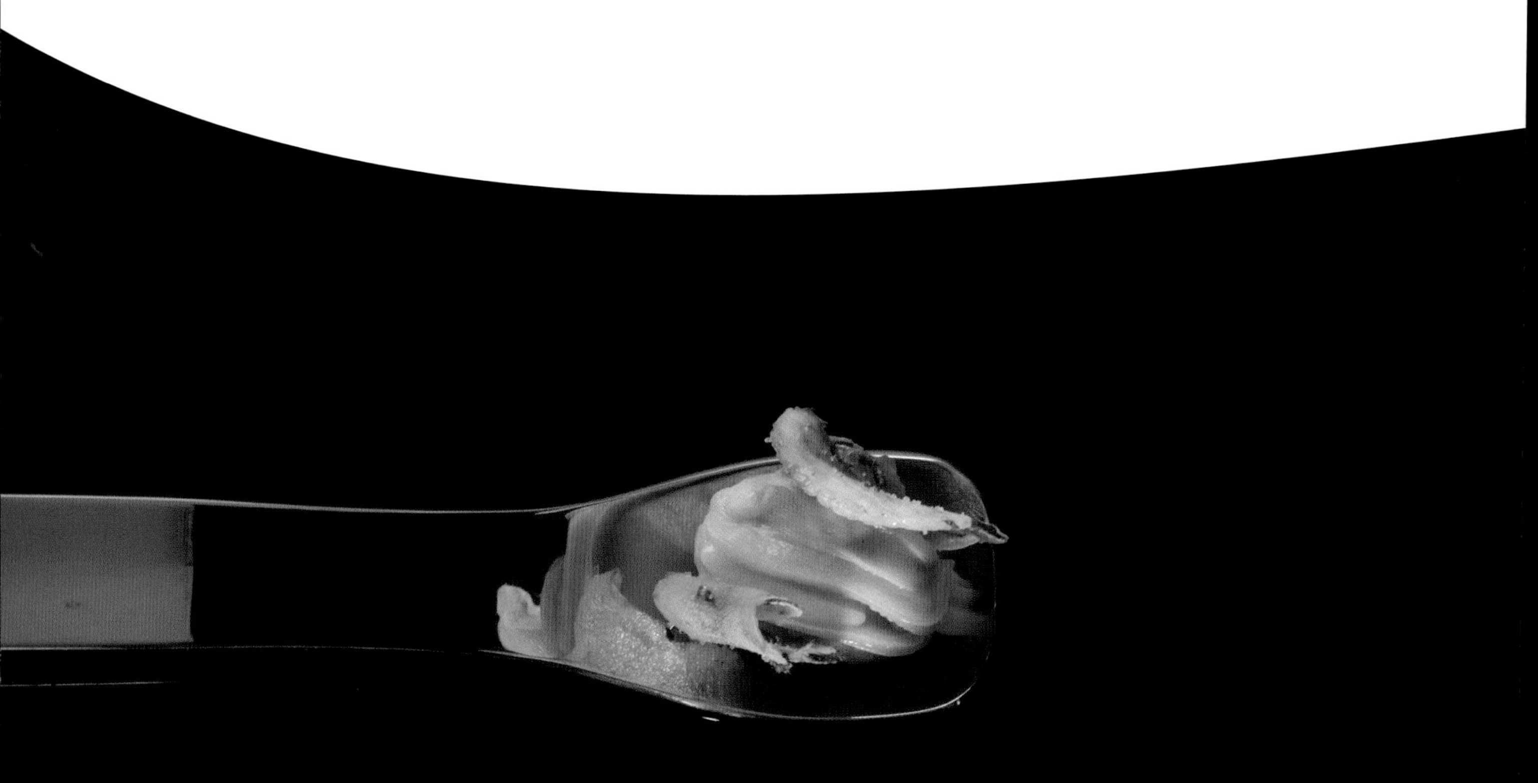

Ingredientes

(6 personas)

Para las almejas
6 almejas
unas gotas de aceite de oliva
ralladura de lemon grass

Para el puré de castañas
150 g de castañas
200 g de leche entera
una cucharadita pequeña de anises secos
pimienta blanca
sal

Para los chips de castañas
6 castañas
aceite de oliva para freír

Elaboración

Para las almejas
Saltearlas en el aceite justo hasta que se abran, añadiéndole al final ralladura de lemon grass y reservar.

Para el puré de castañas
Tostar las castañas en un recipiente adecuado hasta que estén asadas. Pelarlas, picarlas y dar un hervor con la leche y el sazonamiento. Triturar.

Para los chips de castañas
Laminar finamente en crudo las castañas peladas. Freír las láminas hasta que queden unos chips crujientes. Sacar y depositar sobre papel absorbente para que queden bien escurridas.

Final y presentación

Colocar en una cuchara un poco de puré de castañas. Sobre el puré colocar la almeja sin su cáscara y sobre ella un chip de castaña. Así en todos los pinchos.

Si no encuentra

Lemon grass, use ralladura de limón.

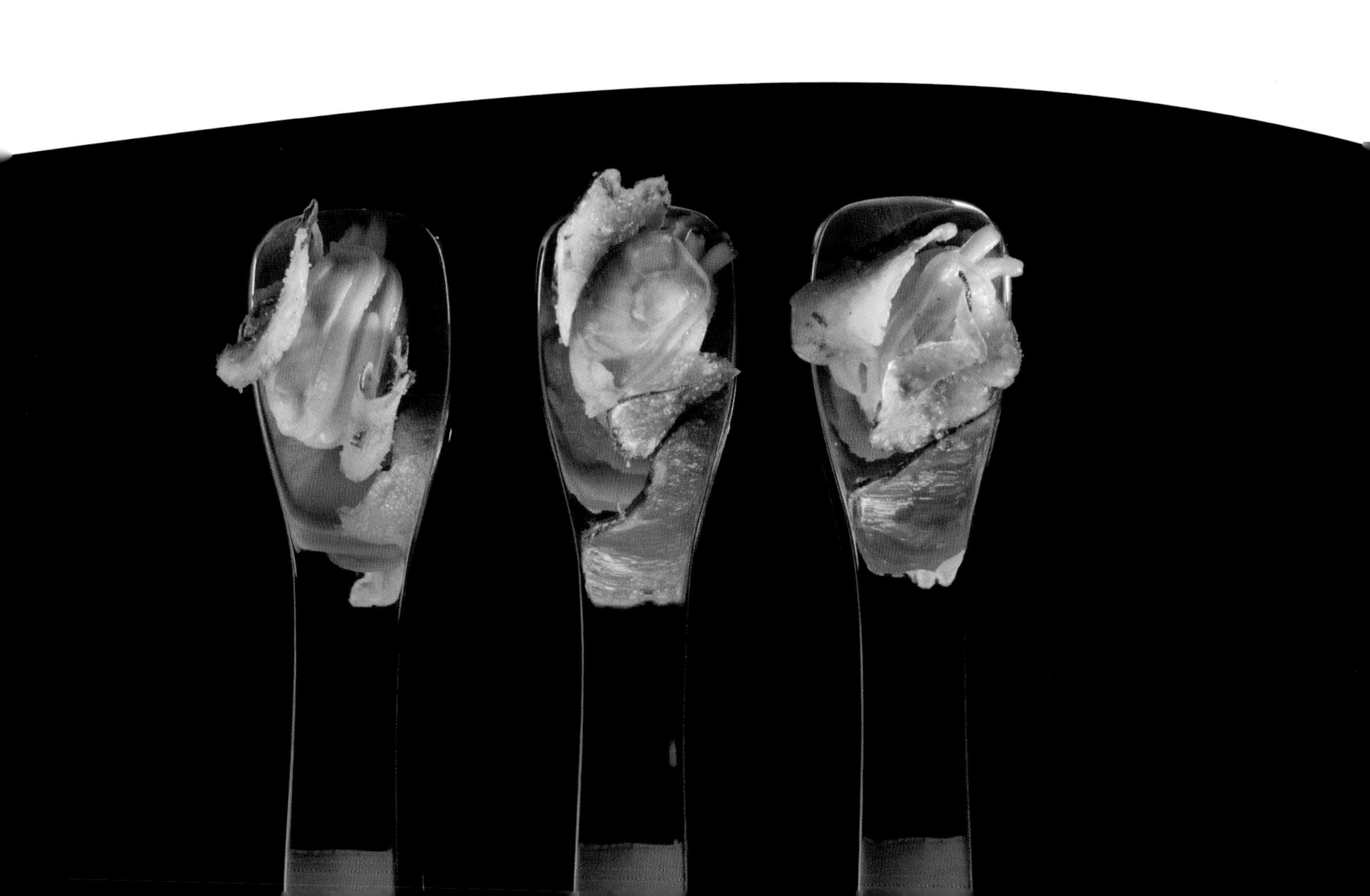

Foie-melón

Ingredientes
(6 personas)

Para el melón
½ melón

Para el relleno de foie gras
200 g de foie fresco
75 g de crema de queso
1 cucharada de nata líquida
sal
pimienta negra
jengibre en polvo

Además
20 g de azúcar

Elaboración

Para el melón

Pelar y despepitar el melón. A continuación, cortar filetes rectangulares (14 x 3 cm) lo más finos posible. Reservar.

Para el relleno de foie gras

Cortar el foie en dados y saltearlo. Dejar reposar durante 5 minutos y triturarlo junto con el queso y la nata. Salpimentar, espolvorear con jengibre y reservar.

Final y presentación

Extender los filetes rectangulares de melón. En el inicio del filete colocar una cucharada de foie e ir envolviendo dándoles forma triangular. Dejar reposar en el frigorífico durante 30 minutos.

Añadir un poco de azúcar sobre cada triangulo de foie-melón. Con la ayuda de un soplete caramelizar su parte superior.

Si no encuentra

Jengibre, use sólo la pimienta negra.

Foie fresco, utilice un paté o una mousse de pato u oca.

Pieles de melocotón

Ingredientes
(6 personas)

Para el caldo de pieles de melocotón
6 melocotones
¾ de l de agua
250 g de infusión de vainilla
100 g de licor de melocotón
100 g azúcar

Para la chistorra
100 g de chistorra
jengibre en polvo

Elaboración

Para el caldo de pieles de melocotón
Pelar los 6 melocotones y reservar la carne para otros usos. Ponemos a cocer los ingredientes durante 40 minutos a fuego suave. Transcurrido ese tiempo, filtrar el líquido resultante hasta conseguir el caldo limpio.

Para la chistorra
Quitar la piel de la chistorra, picarla ligeramente y saltearla a fuego vivo con el jengibre.

Final y presentación

Servir el caldo muy frío en vasitos y depositar en cada uno una cucharadita de café del salteado de chistorra caliente y servir inmediatamente.

Si no encuentra

Infusión de vainilla, utilice canela.
Jengibre en polvo, use pimienta blanca.

El melocoton, que parece ser originario de China y donde todavía crece en estado salvaje, por su floración precoz, ha sido considerado en ese milenario país no sólo señal y símbolo de la primavera, de la fecundidad y de la virginidad (como sucede entre nosotros con la flor del naranjo), sino incluso protector del rayo y de los malos espíritus. En definitiva, de la inmortalidad.
Se cuentan de él dudosas historias, como la de que salió de China gracias a las semillas que ocultaba un chino llevado como prisionero a Persia durante una de las campañas militares del rey Darío. Cierto o no, la verdad es que en Persia arraigó de tal manera que uno de sus nombres lo tomó prestado de aquella tierra, "manzana pérsica". Lo que sí es indudable es que gracias a Colón llegó al Nuevo Mundo, en donde se le conoce como durazno. Hoy, este delicioso fruto se encuentra hasta en los más apartados confines del planeta.

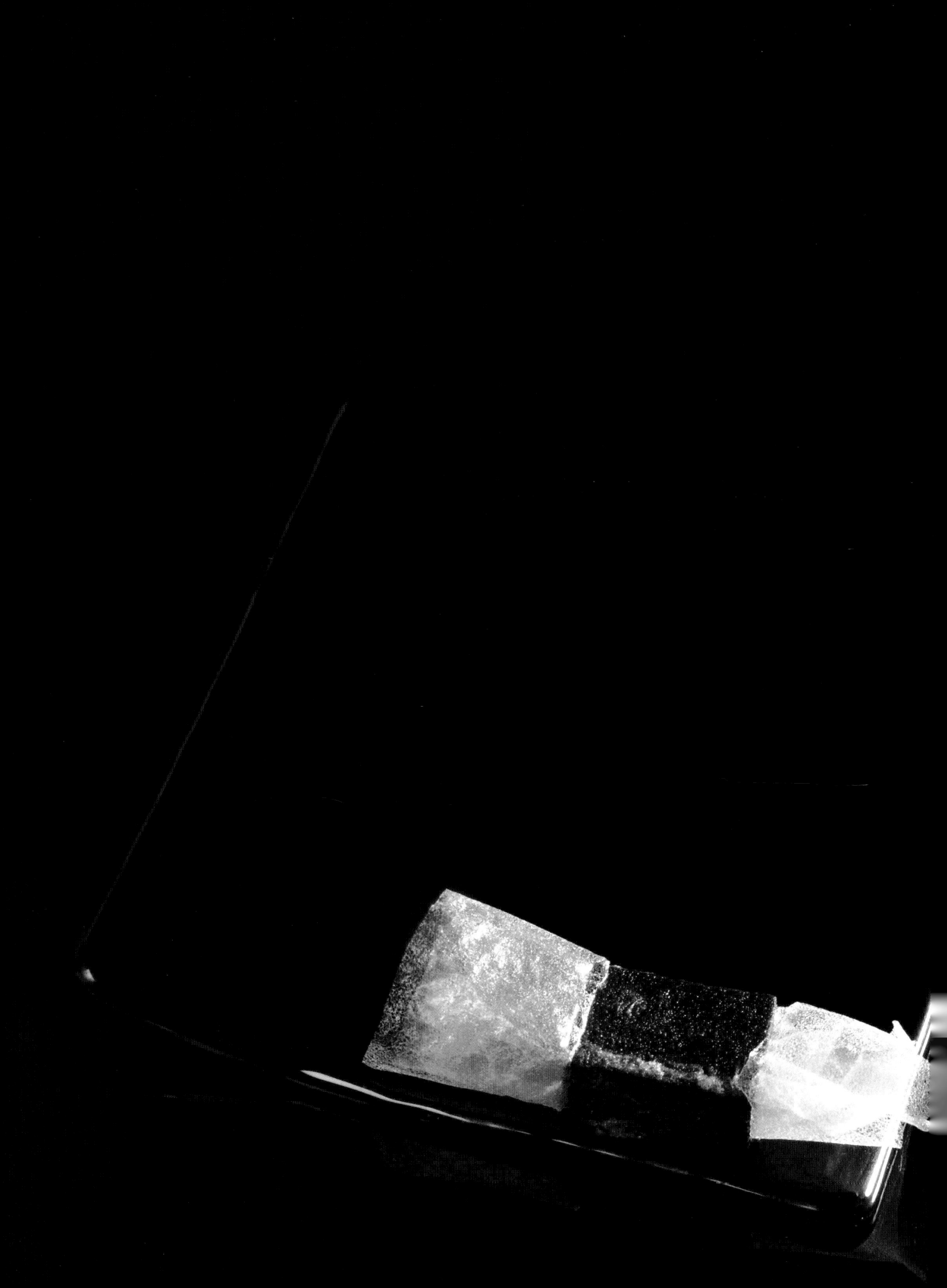

Caramelos de tinta de chipirón

Elaboración

Para la salsa del chipirón
Remojar las gelatinas en agua y ponerlas a hervir con la salsa cuando rompa el hervor. Después del hervor, retirar y dejar que cuaje.

Para el envoltorio del caramelo
Mezclar con una varilla los 2 ingredientes y removerlos bien. Echar medio cazo de la mezcla sobre una sartén antiadherente caliente, a unos 70 grados, y se formará un pequeño crepe que gelificará a esta temperatura. Retiramos el crepe antes de que termine de cuajar, quedando adherida a la sartén una finísima capa que terminará de cuajar con el calor residual de la misma, retiraremos esta capa con la mano y la reservamos.

Final y presentación

Cortar rectángulos del envoltorio y envolver con ellos los caramelos de tinta de chipirón colocándolos de forma original sobre un plato.

Si no encuentra

Almidón de maíz, utilice almidón de patata o arroz.

Ingredientes

(6 personas)

Para la salsa del chipirón
200 g de salsa de chipirón
4 g (2 hojas) de gelatina

Para el envoltorio del caramelo
½ l de agua
200 g de almidón de maíz

Ola de gamba

Elaboración

Para las gambas
Salpimentar las gambas y saltearlas con el aceite.

Para las tostadas onduladas
Rehogar en una cazuela la cebolla, el diente de ajo y el puerro cortados en juliana. Añadir las gambas y el pimentón. Flambear con el brandy y mojar con el caldo e incorporar el azafrán. Dejar cociendo durante 45 minutos a fuego medio. Triturar y colar. Salpimentar y dejar enfriar.
El pan es aconsejable que esté congelado en pedazos de 14 cm de largo para poder cortarlo mejor. Hacer 10 finas láminas de pan y cortarlas con una anchura de 5 cm. Untar bien las láminas con el caldo y secarlas sobre una placa ondulada a 50 grados. Reservar.

Para la vinagreta de algas
Picar finamente la cebolla, la chalota y el ajo y rehogarlos con el aceite de oliva 0,4. Añadir fuera del fuego las algas picadas finas, al igual que las alcaparras y los pepinillos. Incorporar el resto de los ingredientes y salpimentar.

Final y presentación

Sobre la parte izquierda de un plato llano salseamos una cucharada de café de la vinagreta. Colocar las gambas cruzadas, en forma de cruz, y reuntadas del mojo. A los lados, pegar los panes a las gambas colocándolos de pie. Salsear al lado un poco de la vinagreta de algas.

Si no encuentra

Las algas señaladas, puede utilizar las que encuentre más fácilmente.
Aceite de nuez, use aceite de girasol.

Ingredientes
(6 personas)

Para las gambas
12 gambas
1 cucharada de aceite de oliva
pimienta negra
sal

Para las tostadas onduladas
1 cebolla
1 diente de ajo
1 puerro
6 gambas
½ l de caldo de verduras
1 cucharadita de pimentón dulce
¼ de dl de brandy
3 hebras de azafrán
½ barra de pan
pimienta negra
sal

Para la vinagreta de algas
10 g de alga dulse
10 g de lechuga de mar
10 g de judía de mar
1 cucharada sopera de aceite de oliva 0,4
40 g de aceite de oliva virgen
10 g de aceite de nuez
12 g de vinagre de jerez
5 g de alcaparras en vinagre
5 g de pepinillos en vinagre
1 cebolla
1 chalota
1 diente de ajo
pimienta negra
sal

Mejillones con corteza

Ingredientes
(6 personas)

Para los mejillones
4 mejillones
el contenido del líquido de una lata de mejillones
una cucharada de aceite de oliva virgen

Para las cortezas crujientes
4 cortezas de cerdo (chips)
4 cubos de queso Idiazábal (1 x 1 cm)

Para el yogur de guindillas
40 g de yogur griego
10 g de guindillas de Ibarra en vinagre
sal
pimienta negra

Para la vinagreta de mejillón de lata
los mejillones de la lata
pizca de cebollino
estragón
perejil picado
25 g de aceite de oliva virgen

Elaboración

Para los mejillones
Sofreír en el aceite los mejillones hasta que se abran. Recuperar la carne e introducirlos en el líquido de los mejillones de lata.

Para las cortezas crujientes
Utilizaremos una corteza de cerdo y un dado de queso por cada mejillón.

Para el yogur de guindillas
Triturar todo en conjunto. Salpimentar.

Para la vinagreta de mejillón de lata
Picar los mejillones y mezclar con el resto de los ingredientes batiendo el conjunto.

Final y presentación

Para este plato utilizaremos palillos largos en los que ensartaremos el cubo de queso y la corteza de cerdo. Sobre ésta añadir un poco de yogur, colocando sobre él el mejillón. Salsear con la vinagreta.
Presentar este aperitivo sobre un recipiente estable (que lo mantenga de pie).

Si no encuentra

Estragón, prescinda de él.

Trigo sarraceno con mojo de pan

Elaboración

Para las galletas de trigo sarraceno

Cocer durante una hora aproximadamente el trigo sarraceno en agua con sal. Transcurrido este tiempo, escurrirlo y extenderlo sobre papel sulfurizado. Dejarlo secar unas 24 horas en una secadora o en un horno a 50 grados. Pasado este tiempo se formará una placa seca de trigo, que romperemos en trozos irregulares, que freiremos a 180 grados hasta que queden crujientes.

Para el mojo de pan y tomate

Triturar en frío los ingredientes hasta obtener una pasta.

Final y presentación

Colocar una cucharada del mojo sobre cada galleta de trigo sarraceno.

Si no encuentra

Trigo sarraceno, use otro tipo de cereal.
Tomate seco, emplee tomate fresco.

Ingredientes

(6 personas)

Para las galletas de trigo sarraceno

100 g de trigo sarraceno (alforfón)
agua para la cocción
1 dl de aceite de oliva para freír
sal

Para el mojo de pan y tomate

50 g de aceite de oliva virgen extra
100 g de tomate seco
50 g de almendras tostadas
40 g de pan
2 dientes de ajo fritos
unas gotas de vinagre de módena
un poco de azúcar
pimienta blanca
sal

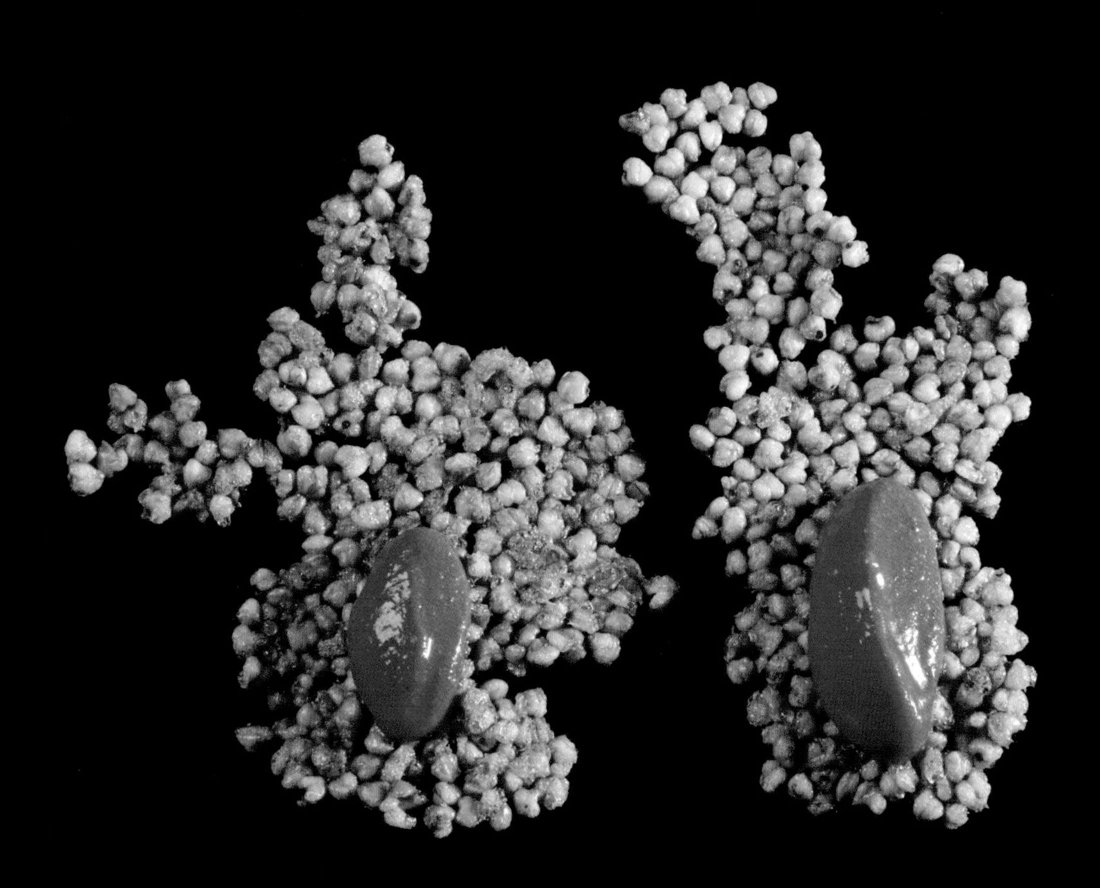

Ámbar verde de arraitxikis

Elaboración

Para el verde de los arraitxikis
Cocer en agua hirviendo con sal las hojas de espinaca. Una vez cocidas, escurrirlas bien y triturarlas a conciencia. Rectificar de sal y extender la mezcla entre dos papeles y dejar secar a 60 grados. Una vez seca, cortar las láminas del tamaño de los lomos de los arraitxikis.

Para los lomos de los arraitxikis
Limpiar los arraitxikis dejándolos en dos lomos y trocear en lomitos de 7 cm aproximadamente. Dejarlos cubiertos de sal durante 30 minutos. Retirar la sal e introducirlos en aceite de oliva hasta su consumo.

Para el mojo graso
Saltear el tocino y dejarlo enfriar. Picar el tocino con un cuchillo formando una pasta. Incorporar el perejil picado, el vinagre y sazonar.

Final y presentación

Coger los lomos cortados de los arraitxikis y cubrirlos con la lámina verde por el lado de la piel. En el fondo, el mojo graso, colocando sobre él los lomos verdes.

Si no encuentra

Vinagre de módena, use un vinagre suave.

Ingredientes

(6 personas)

Para el verde de los arraitxikis
180 g de hojas de espinaca
sal

Para los lomos de los arraitxikis
600 g de arraitxikis (erlas, muxarritas, chicharrillos, carraspios, doncellas, durdos, etc.)
500 g de sal gorda
1 dl de aceite de oliva 0,4

Para el mojo graso
100 g de tocino cocido
3 gotas de vinagre de módena
perejil picado
sal

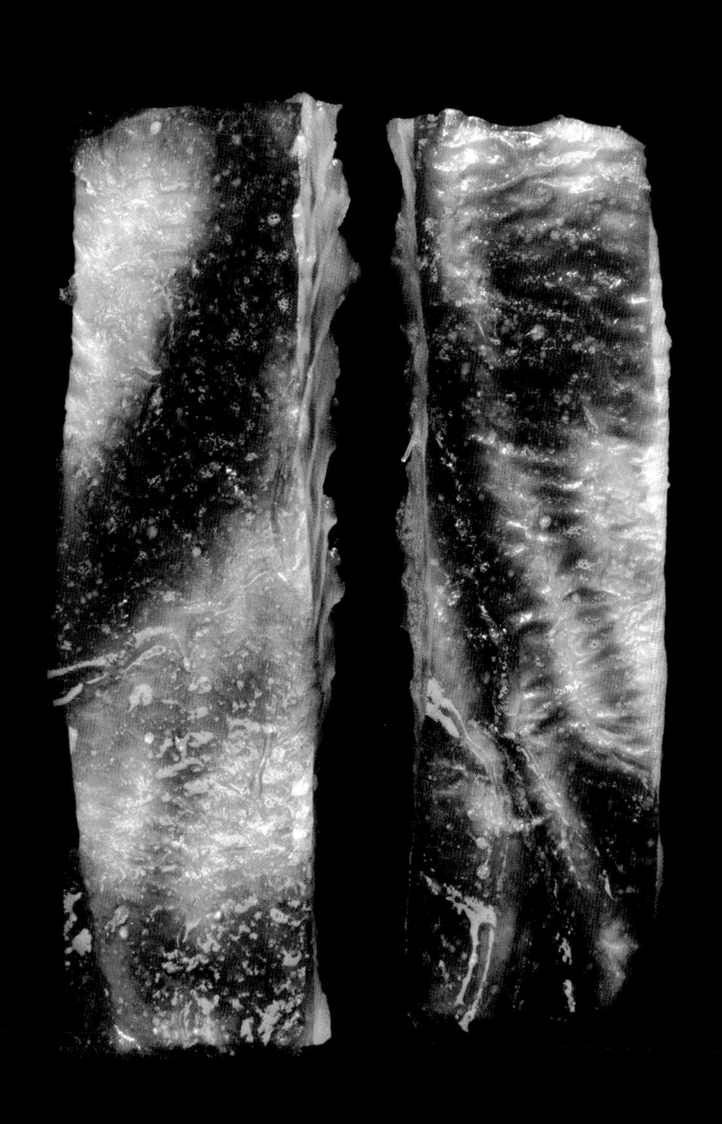

Transparente de frutos secos

Elaboración

Para el relleno

Saltear a fuego vivo todos los ingredientes. Dejarlos enfriar y guardar en un lugar seco.

Para los crepes transparentes

Mezclar todo en frío y cuajar crepe a crepe en una sartén antiadherente y untada con aceite.

Final y presentación

Rellenar los crepes transparentes con los frutos secos salteados.

Si no encuentra

Almidón de maíz, emplee otro tipo de almidón.
Almendras marcona, use cualquier otro fruto seco.

Ingredientes

(6 personas)

Para el relleno

30 g de pistachos
20 g de piñones
30 g de almendras marcona peladas
30 g de nueces peladas
30 g de uvas pasas de corinto
10 g de aceite de oliva
una pizca de sal

Para los crepes transparentes

½ l de agua
200 g de almidón de maíz
1 cucharada de aceite de girasol

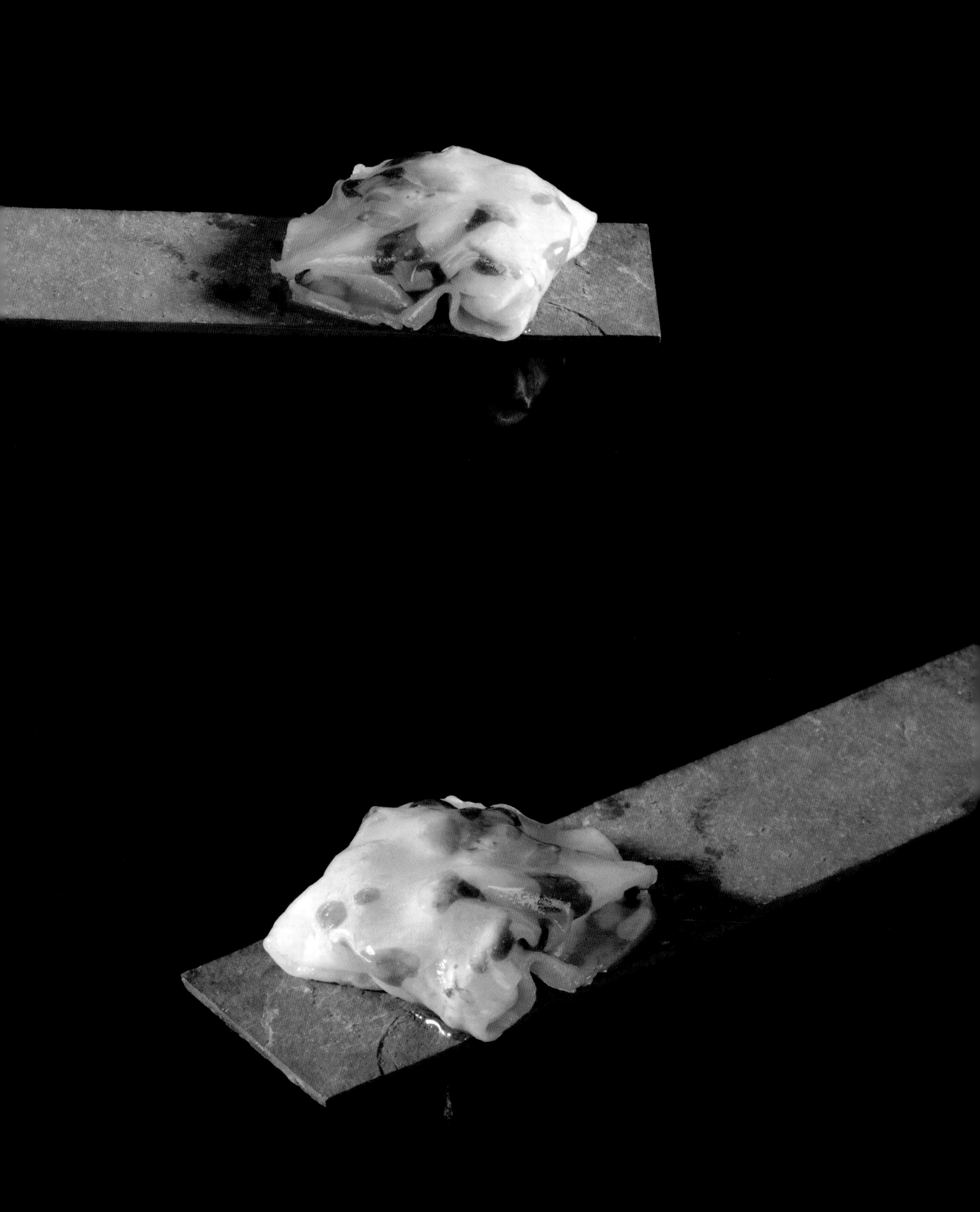

Caldo de guindillas con bacalao

Elaboración

Para el caldo de guindillas
Pochar bien las cebollas picadas con el aceite, añadiendo las guindillas escurridas y al final el agua. Dar punto de sal y reducir al fuego. Triturar el conjunto, filtrar y añadir por último el azúcar, mezclando bien.

Para el bacalao crudo
Con ayuda de una gasa escaldar la parte de la piel del bacalao con agua hirviendo a borbotones. Reservar.

Final y presentación

Sobre una cuchara un poco honda poner un poco de caldo de guindillas y sobre el mismo el bacalao crudo templado. Colocar encima las pieles crujientes, la flor de cártamo y el perejil picado.

Si no encuentra

Guindillas de Ibarra, utilice otro tipo de guindillas.
Flores de cártamo, prescinda de ellas.
Bacalao en salazón, utilice bacalao fresco.

Ingredientes

(6 personas)

Para el caldo de guindillas

100 g de guindillas de Ibarra en conserva (bien escurridas)
2 cebollas
30 g de azúcar
½ l de agua
1 cucharada de aceite de oliva
sal

Para el bacalao crudo

150 g de bacalao ya desalado de la parte del lomo
agua

Además

trozos de piel de bacalao frito
cártamo en flor
perejil picado.

Pencas con navajas

Ingredientes
(6 personas)

Para las navajas
6 navajas
una cucharada de aceite de oliva

Para el velo
2 pencas de acelga
½ l de agua
el zumo de medio limón
una pizca de sal

Para la salsa
el verde de 2 acelgas
½ l de agua
una pizca de bicarbonato
2 cucharadas de aceite
una pizca de azúcar
sal

Elaboración

Para las navajas
Abrirlas en la sartén con el aceite caliente y reservar.

Para el velo
Cortar finísimamente las pencas en láminas y blanquearlas durante unos segundos en agua hirviendo con el zumo de limón. Dar punto de sal.

Para la salsa
Escaldar en agua hirviendo el verde de las acelgas con una pizca de bicarbonato, sal y azúcar. Escurrir y triturar con el aceite hasta formar una salsa levemente espesa (añadiendo un poco del agua de la cocción si queda demasiado grueso).

Final y presentación

Ensartar cada navaja en una brocheta. Cubrirla con el velo de acelga y acompañarla con unas gotas de salsa verde de acelga.

Si no encuentra

Navajas, puede emplear almejas o mejillones.

La navaja

La cocción a la plancha de este tipo de moluscos o similiares, como las almejas, las espardenyes o las propias navajas, debe ser mínimo ya que si nos pasamos un punto en su cocción, lejos de conseguir que estén más tiernos se vuelven totalmente gomosos e incluso, especialmente en el caso de las navajas, prácticamente incomibles al ponerse la textura correosa.
Tenemos que reconocer que estos moluscos, antes muy abundantes en las playas vascas, actualmente están prácticamente desaparecidos. Es cierto que en la cocina vasca, tal como señalaba José María Busca Isusi: "Ni en los libros, ni en las casas ni en los restaurantes vascos, se suelen encontrar preparaciones de navajas". En los bares sí, de cuando en cuando, se suelen presentar como aperitivo puestos en conserva, generalmenteal natural, pero hechas las preparaciones por fábricas gallegas y no vascas.
En la alta cocina creativa y moderna hay pocos platos en los que intervengan las navajas, que sepamos. El más interesante puede ser el que elabora el joven cocinero Iñigo Lavado, ahora al frente de los fogones del restaurante de Ficoba en Irún; se trata de navaja a la plancha con espuma de té y granizado de litchis, que tiene una curiosa presentación y forma de comerlo, ya que se presenta la navaja sin caparazón en un plato de cristal alargado con parecida forma a una navaja y se come sin usar los cubiertos, deslizando la navaja por el plato con la espuma y el granizado hasta que llegue a la boca.

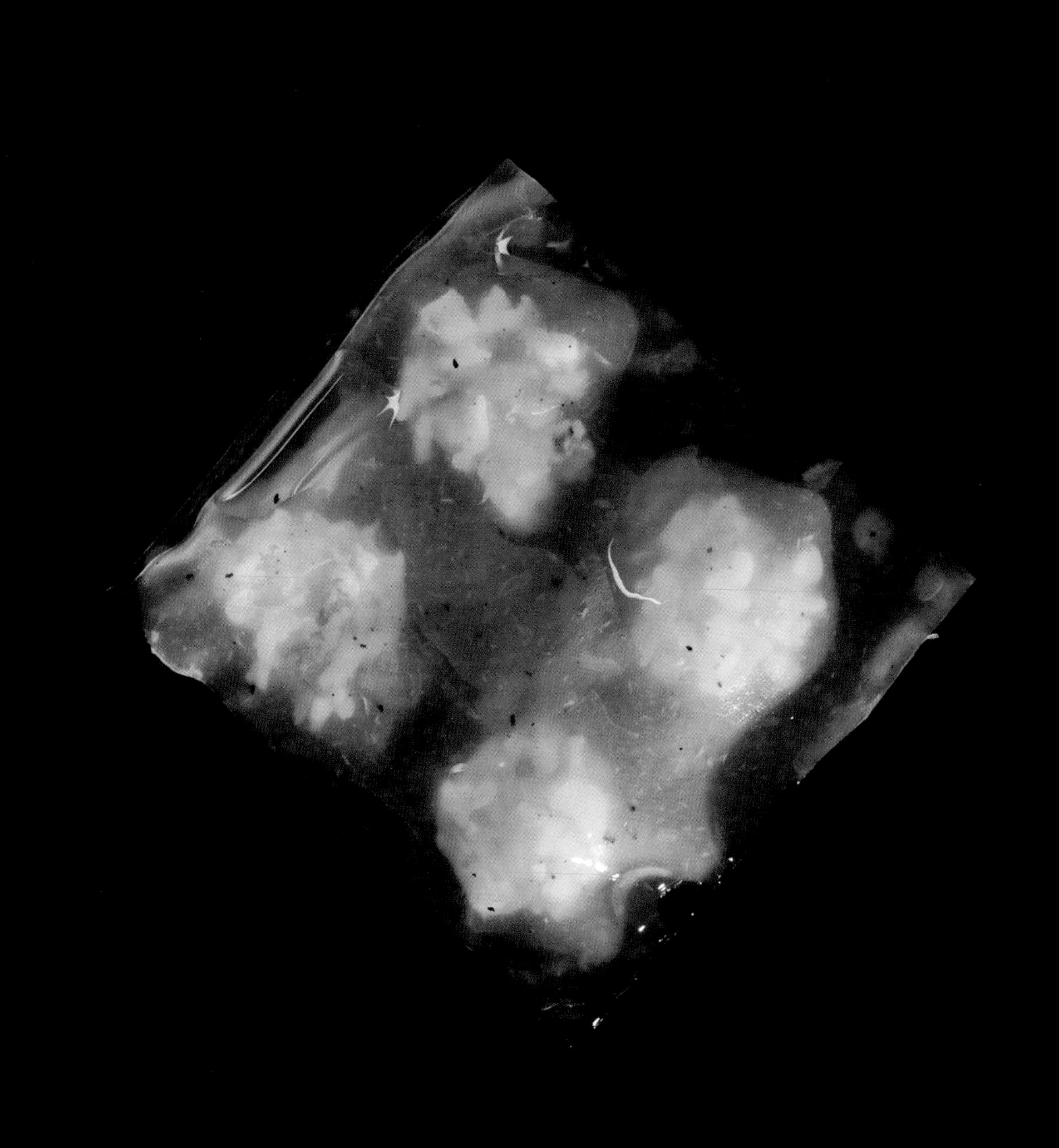

Ravioli de centollo

Ingredientes
(6 personas)

Para la gelatina
220 g de zumo de naranja
30 g de licor de naranja
20 g de azúcar
½ rama de vainilla
2 g de agar-agar

Para el centollo
1 centollo
agua
sal
2 cucharadas de aceite de oliva
una pizca de pimienta blanca

Elaboración

Para la gelatina
Dar un hervor a todos los ingredientes añadiendo el agar–agar. Verter la preparación sobre hojas de papel sulfurizado formando láminas finas.

Para el centollo
Cocer el centollo en el agua con sal. Una vez cocido, desmigarlo y mezclar las carnes e interiores con el aceite y la pimienta hasta formar una masa apenas ligada.

Final y presentación

Colocar una lámina de gelatina en la base del plato, incorporar encima el centollo y colocar encima otra lámina de gelatina.

Si no encuentra

Licor de naranja, prescinda de él.
Agar-agar, use gelatina alimentaria.

Raíz de loto con mojo

Ingredientes

(6 personas)

Para la raíz de loto

1 raíz de loto de 300 g aprox.
agua y sal para cocer
aceite para freír

Para el mojo

100 g de mantequilla de avellanas
60 g de lechuga pasada por la plancha
40 g de almendras fritas
1 cucharada sopera de vinagre de jerez
30 g de fondo de carne de caldo concentrado
sal
pimienta de sichuán

Elaboración

Para la raíz de loto

Cortar la mitad de la raíz de loto y cocerla en agua con sal hasta que se ablande. La otra parte se lamina finamente y se fríe a fuego vivo hasta obtener unas láminas crujientes.

Para el mojo

Triturar todos los ingredientes hasta obtener una pasta espesa y homogénea.

Final y presentación

Cortar con un cortapastas en forma de tubito la parte de la raíz de loto cocida entera. Rellenar los agujeros con el mojo y colocar al lado o encima las láminas de loto fritas.

Si no encuentra

Raíz de loto, puede sustituirla por algún tubérculo.
Pimienta de sichuán, utilice pimienta negra.

Tocino y mango refrescantes

Ingredientes

(6 personas)

Para el tocino
200 g de tocino ibérico
1 puerro
1 zanahoria
sal
granos de pimienta de jamaica

Para el mango
1 mango

Además
10 g de xylitol
aceite de oliva virgen

Elaboración

Para el tocino
Cocemos el tocino con las verduras durante 1 hora (si cortamos el tocino, se cocerá en menos tiempo). Cuando esté cocido, retirar el tocino y trocearlo en porciones. Salpimentar.

Para el mango
Filetear el mango con una cortadora y reservar.

Final y presentación

Envolver el tocino con la lámina de mango y pasarlo por la plancha con aceite, coloreando ligeramente. Espolvorear el conjunto con el xylitol.

Si no encuentra

Xylitol, utilice cualquier edulcorante.

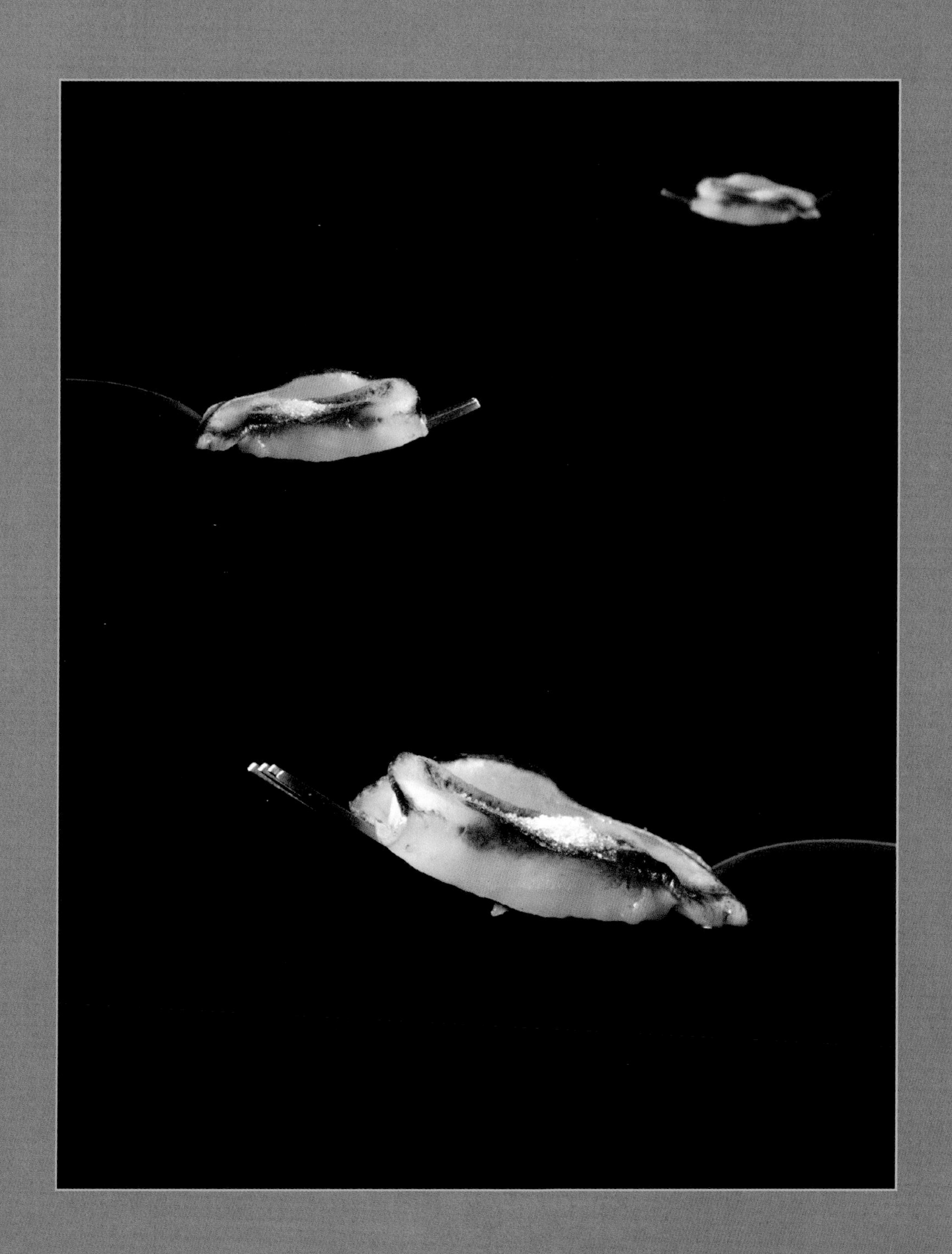

Pastel de kabrarroka a la plancha

Elaboración

Para el pastel de kabrarroka
Se cuece la kabrarroka con el puerro y la zanahoria en agua con sal. Cuando esté suficientemente cocida, se desmenuza y se desmiga, quitándole las espinas y la piel. Aparte, se montan los huevos como si fuera para una tortilla, e inmediatamente se le añade la nata, la salsa de tomate y el pescado reservado. Dar punto de sal y pimienta. Se vierte este preparado en un molde rectangular de litro y medio previamente untado con mantequilla y pan rallado. Se cuece al baño maría en el horno a 225 grados durante 1 hora y 15 minutos. Una vez frío, se desmolda.

Para el licuado de lechuga
Licuar la lechuga. Triturar este líquido con el resto de los ingredientes en frío y filtrar.

Final y presentación

Trocear el pastel en trozos rectangulares pequeños, insertando cada uno en un palillo largo. Dorar los distintos trozos de pastel en una plancha caliente con un poco de aceite. Una vez hechos, presentarlos con el jugo de lechuga colocado en un vasito pequeño.

Si no encuentra

Kabrarroka, utilice un pescado blanco.
Pimienta verde, emplee pimienta blanca.

Ingredientes
(6 personas)

Para el pastel de kabrarroka
½ kilo de kabrarroka cruda y sin cabeza
8 huevos
¼ de l de nata
¼ de l de salsa de tomate
1 zanahoria
1 puerro
una pizca de mantequilla
una cucharadita de pan rallado
agua para la cocción
pimienta blanca
sal

Para el licuado de lechuga
1 lechuga
30 g de aceite de oliva
150 g de caldo de pollo
una pizca de azúcar
pimienta verde
sal

Además
2 cucharadas de aceite de oliva

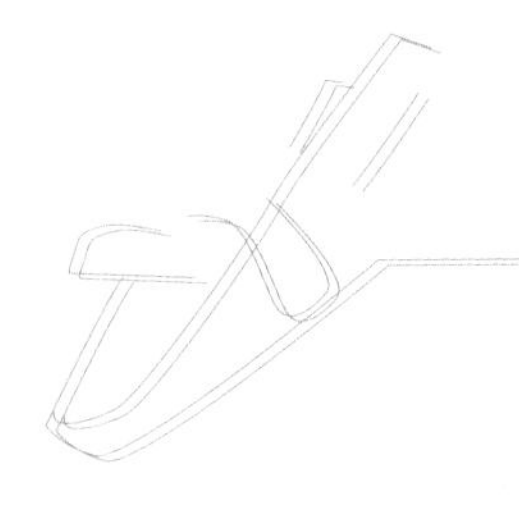

La kabrarroca tiene muchos otros nombres según la región donde se encuentre. Rascacio, escorpena, rascasa, cabracho, itxaskabra, scórpora, rascasa, escorpión, tiñosu y un largo etcétera
Los pudines, en general, tienen muchas virtudes, tanto para el ama de casa como para los cocineros aficionados. No es excesivamente complejo (aunque tiene su detallada técnica), no resulta caro, se puede preparar con antelación (y así el cocinero/a puede disfrutar con los demás en la mesa) y, sobre todo, facilita el dar de comer a cuantos comensales ocasionales se presenten a ultima hora.
Por contra, algo que se le achaca a los pasteles de este tipo es que cabe meter sobras y productos de dudosa calidad. Es cierto que este abuso se ha cometido con demasiada frecuencia, pero la intención inicial de estas recetas no ha sido nunca la de meter gato por liebre, sino la de defender el género fresco y de incuestionable calidad, puesto que un pastel o un pudín jamás debe ser un disfraz.

Clorofila de patata y gamba

Elaboración

Para la clorofila de patata
Cocer con su piel las patatas envueltas en plástico en un microondas durante 10 minutos aproximadamente (depende del tamaño de la patata y del propio aparato). Una vez cocidas, trocearlas en rodajas conservando la piel y embadurnándolas con el aceite mezclado con la clorofila que habremos hecho de la siguiente forma: introducir las hojas de espinaca en una mezcla de la misma proporción de agua y alcohol etílico y dejar reposar a 50 grados durante dos horas. Transcurrido este tiempo, elevar la temperatura a 75 grados para que se evapore el alcohol. Colar para retirar las hojas. Sazonar las patatas.

Para la gamba seca
Abrir las gambas por la mitad. Dejarlas secar en un horno o secadora durante 24 horas a 50 grados, transcurrido este tiempo se fríen cuidadosamente en aceite a 170 grados hasta que estén levemente doradas.

Final y presentación

Pinchar las gambas secas en los trozos de patata.

Si no encuentra

La forma de elaborar la clorofila, puede comprar extracto de clorofila de cebada verde en herboristerías.

Ingredientes

(6 personas)

Para la clorofila de patata
2 patatas medianas
80 g de espinacas
½ l de alcohol etílico de 96°
30 g de aceite de oliva
½ l de agua
sal gorda marina

Para la gamba seca
12 gambas arroceras (terciadas)
aceite de oliva para freír

Seda de zanahoria

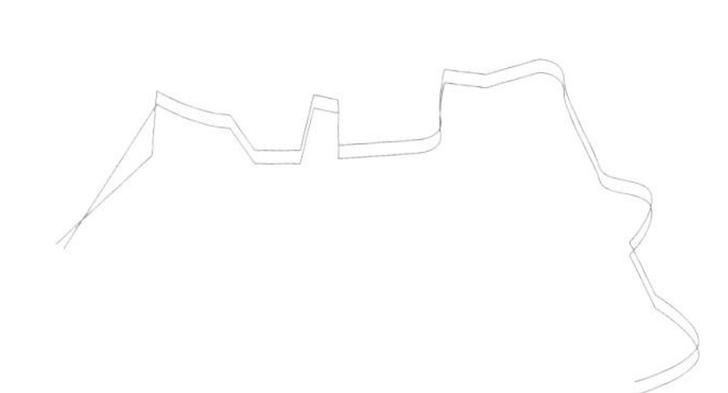

Elaboración

Para la seda de zanahoria

Licuar la zanahoria y ligarla con la carmelosa sódica. Hervirla durante un instante y extenderla en forma circular sobre dos papeles sulfurizados. Secar en el horno durante 3 horas a 55 grados. Una vez seca, retirar los papeles con cuidado y reservar.

Para la gelatina de tomate

Pelar y despepitar el tomate. Cuartearlo y cocerlo con el aceite. Añadir la gelatina previamente hidratada en agua fría. Salpimentar y añadir una pizca de albahaca y azúcar.

Final y presentación

Presentar la gelatina de tomate acompañada por la seda de zanahoria.

Si no encuentra

Pimienta verde, use la pimienta menos negra que tenga a mano.
Carmelosa sódica, utilice almidón de maíz.

Ingredientes

(6 personas)

Para la seda de zanahoria

jugo licuado de 200 g de zanahoria
4 g de carmelosa sódica

Para la gelatina de tomate

3 tomates
2 cucharadas de aceite de oliva
2 hojas de gelatina (2 g/unidad)
sal
pimienta verde
albahaca
azúcar

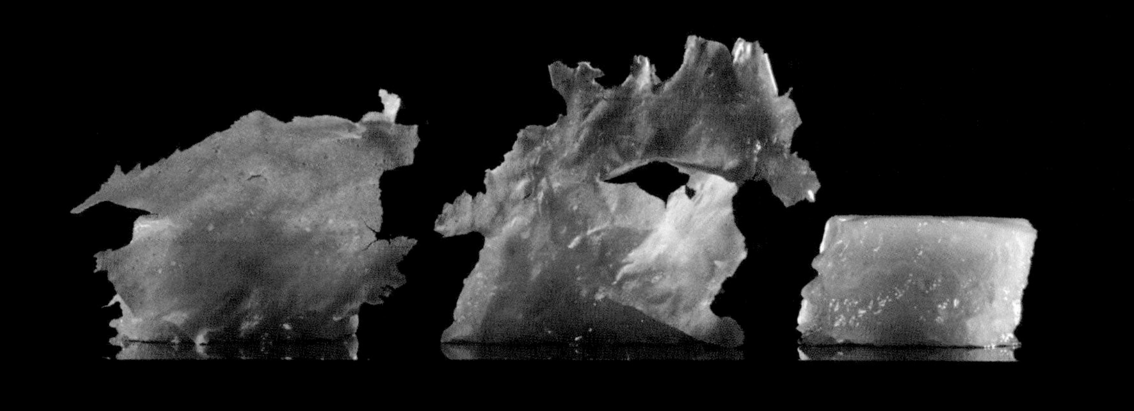

2

salados calientes

yema, erizos y algas

Ingredientes

(6 personas)

6 yemas de huevo
150 g de huevas o coral de erizos de mar
1 cucharada de puré de cebolla confitada
1 lámina de lechuga de mar (rehidratada)
1 cucharadita de aceite de oliva
sal

Elaboración

Romper las yemas y mezclar con el coral de los erizos, el puré de cebolla, el alga rehidratada y una pizca de sal. Colocar en unos plásticos (untados por dentro con aceite) la anterior preparación, cerrándolos en forma de bolsitas. Colocar en un cazo con agua hirviendo durante 1 minuto escaso. Retirar y desmoldar con sumo cuidado.

Final y presentación

Colocar con sumo cuidado las yemas ya escalfadas sobre un soporte que bien puede ser un vasito pequeño.

Si no encuentra

Erizos de mar, utilice centollo cocido y desmenuzado.
Lechuga de mar, utilice espinacas.

El uso de las algas en la cocina se pierde en la noche de los tiempos. Parece ser que los indígenas ribereños del Chad y los indios de México hace milenios que recogían algas para hacer galletas, como también lo hicieron mucho más tarde galeses y bretones. El Lejano Oriente ha sabido sacar el mayor "jugo" de las algas gastronómicamente hablando. Aunque algunos países como Escocia tampoco le han ido a la zaga, ya que tradicionalmente han hecho con ellas potajes, sopas y salsas e incluso bizcochos y sus célebres panes con harina de avena. En Japón, otro de los países más consumidores de algas, se utilizan fundamentalmente cinco géneros; algunas de esta algas son recogidas en alta mar y otras se cultivan a lo largo del litoral. El nori, o sea, la lechuga de mar, comprimido en unas hojas de color verde violeta, es uno de los componentes obligados del sushi junto con el arroz con vinagre dulce, ya que el resto del relleno queda a discreción del cocinero. El kombu reina sobre todo en los yodados caldos. El wakame, el alga más parecida a las verduras terrestres, es ideal en ensaladas y sopas, y el hijiki para los cocidos con gusto casero como el nimono o como un componente más de esas deliciosas frituras japonesas, de ida y vuelta, la tempura y, por fin, la decorativa alga aonori, que nos puede recordar, salvando las distancias, las funciones que cumple en nuestra cocina ese remate último de los platos, el perejil picado.

Buey con alquequenjes

Elaboración

Para la vinagreta
Mezclar todos los ingredientes y reservar.

Para los pinchos
Cortar la carne en tacos gruesos (como de bocado), macerándolos durante media hora antes de asarlos con el aceite de ajo y la sal. Ensartar en una brocheta (de acero inoxidable o de madera especial para ello) los tacos de carne y los alquequenjes.

Final y presentación

Colocar las brochetas sobre una plancha o parrilla y hacerlas un minuto por cada cara. Acompañarlas con la vinagreta ya preparada.

Si no encuentra

Alquequenjes, utilice melón o melocotón.
Miel de acacia, use otro tipo de miel.

Ingredientes

(6 personas)

Para la vinagreta
1dl de aceite de oliva virgen extra
3 cucharadas de vinagre de jerez
1 cucharadita de miel de acacia
2 cucharaditas de sésamo
1 cucharadita de perejil
sal
pimienta blanca

Para los pinchos
500 g de solomillo o lomo limpio de carne roja
150 g de alquequenjes
4 cucharadas de aceite de oliva con ajos macerados
sal gorda

Un regalo envuelto en celofán

En muchos casos son grandes desconocidas, frutas lejanas, atrayentes y exóticas, compendio de mil y un sabores que son un "chispazo" de alegría en el panorama frutal. El alquequenje no escapa a la norma: su sabor recuerda a una mezcla de maracuyá, piña y grosella espinosa, delicadamente agridulce. Su descripción no es un tema baladí, ya a finales del siglo XVII una de las cuestiones más complicadas con la que se toparon en sus investigaciones los botánicos europeos fue la de detallar las características de plantas y frutas desconocidas, provenientes principalmente de Oriente y Sudamérica, basándose en comparaciones con otras que les resultaban totalmente domésticas y de uso diario. E incluso hubo casos de difícil implantación, como fue el del tomate, e incluso el pimiento y la patata. La hostilidad en España hacia este fruto viene explicada por el hecho de ser una planta solanácea de la misma familia que otras alucinógenas o asociadas a la brujería, como la belladona y la mandrágora, o incluso la del anatematizado tabaco: se llegó a decir, entre otros infundios, sobre el tomate que bastaba aplicar por las sienes el aceite donde se hubiera frito para que surtiera los efectos de una droga. El hecho es que por éstos y otros motivos el tomate no se implantó seriamente en Europa hasta bien entrado el siglo XVIII. En la actualidad, curados ya de supersticiones, el alquequenje, perteneciente a la misma familia que el tomate, nos lo recuerda incluso en su forma: es como un tomatito pequeño amarillo (como era inicialmente el tomate, por lo que fue llamado pomodoro o manzana de oro) pero envuelto en "celofán", ya que cada fruto está metido en una diminuta "bolsa" que parece de delicado papel. Todo un regalo de la naturaleza.

Callos y morros, uvas y pochas

Elaboración

Para los callos y los morros

Limpiar callos y morros. Escaldarlos por separado, poniédolos a continuación en una cazuela grande o en una olla a presión (exprés) a cocer con el hueso de jamón, así como las verduras (reservando un diente de ajo) con agua y sal. Tener cociendo a fuego lento durante 3 horas y media (en olla a presión la mitad de tiempo o menos dependiendo del tipo de olla). Terminada la cocción, triturar las verduras en un chino. Freír los ajos picados restantes con el jamón, al que añadiremos el pimentón y la salsa de tomate. Dejar hacer unos instantes y agregar la crema de las verduras. Por último, agregar los callos y morros bien troceados. Sazonar y dejar hacer unos 10 minutos todo junto. Dejarlos reposar 1 hora antes de servir y volver a calentarlos.

Para las pochas

Poner las pochas a cocer cubiertas con agua junto al tomate, 1 pimiento troceado, 1 cebolleta, sal y pimienta. Hacer a fuego lento en una cazuela hasta que estén blandas las pochas. Poner en una sartén 2 cucharadas de aceite con la cebolleta y pimiento restantes picados finamente. Hacer a fuego lento hasta que estén blandas las verduras. Después, agregar el contenido de la sartén a las pochas ya hechas. Si queda muy líquido reducir un poco a fuego lento.

Para las uvas

Saltear las uvas en una sartén con el aceite.

Ingredientes

(6 personas)

Para los callos y los morros

500 g de callos de ternera
300 g de morros de ternera
1 hueso de jamón
40 g de jamón ibérico muy picado
1 cucharadita de pimentón dulce
3 zanahorias
2 puerros
3 dientes de ajo
1 dl de salsa de tomate natural
agua y sal

Para las pochas

300 g de pochas blancas, ya desgranadas
2 cebolletas
2 pimientos verdes
1 tomate maduro
2 cucharadas de aceite de oliva
agua
pimienta
sal

Para las uvas

1 racimo pequeño de uvas blancas
1 cucharada de aceite de cacahuete

Final y presentación

Colocar en un platito o pequeña rabanera una porción de los callos y al lado una cucharada de pochas, poniendo encima la uva salteada.

Si no encuentra

Pochas, utilice alubia blanca seca.
Aceite de cacahuete, use cualquier aceite de semillas neutro.

Pollo de caserío ahumado con ciruelas y maíz azul

Elaboración

Para el pollo ahumado
Sazonar el pollo y confitarlo en aceite a fuego muy lento, sin que supere los 100 grados, durante hora y media con las verduras troceadas y el resto de los ingredientes. Transcurrido este tiempo, escurrir bien de grasa y ponerlo sobre una rejilla de parilla o barbacoa sin fuego, sólo cenizas, ahumándolo unos instantes por todos los lados. Se sacan las pechugas, reservando el resto, y se cortan en tacos, sin piel.

Para el maíz azul
Secar en un horno a 60 grados hasta que esté seco. Pulverizarlo y pasarlo por un tamiz.

Para las ciruelas
Cortar las ciruelas en trozos y saltearlos con el aceite.

Final y presentación

Calentar ligeramente los tacos de pollo y untarlos sobre el maíz azul. Presentarlos colocando sobre éstos la ciruela salteada.

Si no encuentra

Maíz azul, utilice cualquier otro maíz.

Ingredientes
(6 personas)

Para el pollo ahumado
1 pollo
1 zanahoria
1 puerro
1 cebolleta
3 dl de aceite de oliva
sal
granos de pimienta
½ hoja de laurel

Para el maíz azul
50 g de maíz azul

Para las ciruelas
5 ciruelas deshuesadas
1 cucharada de aceite de oliva

Las variedades de la familia de las ciruelas es muy nutrida, pero parece haber cierta unanimidad en declarar a la conocida como "claudia" la reina de ellas, tal vez porque su nombre tiene una evidente inspiración regia, según una bella y entrañable leyenda. Se cuenta que una vez entró un ladrón en la habitación de la reina Claudia, esposa de Francisco I, conocida por su sencillez y dulzura. La reina, al ver al ladrón, se desmayó, pero éste fue detenido por la guardia de palacio y el rey, sin juicio previo, ordenó ahorcarlo inmediatamente en un árbol ciruelo del jardín. La reina, al volver en sí, corrió al jardín e inclinándose a los pies del monarca solicitó clemencia para el ladrón, cuya situación de necesidad familiar le había llevado al hurto. El rey le otorgó su gracia y en aquel mismo instante el ciruelo se cubrió de flores. Todos los cortesanos se hicieron con ramos floridos del árbol, cuyos frutos a partir de entonces fueron bautizados como ciruelas de la reina Claudia por su extrema dulzura. En nuestro caso, cuando no es temporada, elegimos las ciruelas pasas, que casan a las mil maravillas con las aves, como este pollo de caserío con un toque ahumado y un sorprendente y bello maíz azul.

Sepia liofilizada

Elaboración

Para la sepia
Limpiar bien la sepia entera y separar el cuerpo. Guardar la tinta y las aletas, que utilizaremos para la salsa.
Cortar el cuerpo de la sepia en cuadrados de 5 x 5 cm aproximadamente.
Hacer incisiones cuadriculadas en su superficie, sazonar y añadir en forma de sazonamiento el jengibre y la zarzaparrilla.

Para el liofilizado de tinta
Picar la cebolla, los pimientos y el ajo en juliana y rehogarlo todo con aceite.
Aparte, limpiar la sepia y separar la tinta. Picar toda la carne en pedazos no muy pequeños.
Cuando esté la verdura, añadir la carne y rehogar todo en conjunto. Incorporar el tomate cortado en pedazos y cocer hasta que casi se deshaga, mojar con el vino y dejar reducir, añadiendo las tintas diluidas en agua. Mezclar todo bien y cubrir con agua. Dejar cocer unos 30 minutos a fuego medio. Separar toda la carne y triturar el resto. Colar y sazonar.
Introducir la salsa en la liofilizadora, que tardará alrededor de 40 horas en secarlo.

Final y presentación

Presentar los cuadraditos de sepia pasados por la sartén, coloreándolos ligeramente con una gota de aceite. Espolvorear con el perejil picado y a su alrededor el liofilizado de tinta.

Si no encuentra

Polvo de zarzaparrilla, prescinda de él.
Jengibre, use pimienta blanca.

Ingredientes
(6 personas)

Para la sepia
1 sepia
polvo de zarzaparrilla
sal
jengibre

Para el liofilizado de tinta
1 sepia (300 g)
1 cebolla
2 pimientos verdes
1 diente de ajo
1 tomate pequeño
½ dl de aceite de oliva
½ vaso de vino tinto
2½ l de agua
sal

Además
aceite de oliva virgen
perejil picado

Cigalas con mahonesa

Elaboración

Para la juliana de calabacín
Cortar en finos bastones la peladura de calabacín y reservar. Pelar las colas de las cigalas y salpimentarlas. Untar las colas de las cigalas ya peladas en el aceite aromatizado y reservar en frío hasta su utilización.

Para la mahonesa gelatinizada
Juntar la yema, el huevo, el zumo, el vinagre y la sal. Batir en una batidora calentadora a 65 grados, añadiendo poco a poco el aceite hasta que se emulsione perfectamente. Cuando esto suceda, añadir la gelatina (disuelta previamente en agua tibia). Extender la mahonesa aún tibia sobre una tela plastificada (silpat) y sobre la misma otra idéntica. Poner en el frigorífico durante 3 horas al menos. Pasado este tiempo, se saca la mahonesa gelatinizada y se corta en rectángulos pequeños.

Para la vinagreta templada a la naranja
Mezclar los zumos y la soja y templar la mezcla en el fuego, sin hervir. Añadir el aceite y batir todo ligeramente. Por último, se agrega la corteza de naranja y se da punto de sal.

Final y presentación

Freír en abundante aceite las colas de cigalas reservadas y escurrirlas perfectamente. Colocar en la base de un cuenco o plato hondo una cucharada de la vinagreta. Sobre la misma, las colas de cigalas fritas acompañadas del calabacín y sobre éstas los rectángulos de mahonesa gelatinizada. Espolvorear por encima el pimentón, así como el cebollino picado.

Si no encuentra

Aceite de nuez y de cacahuete, utilice aceite de girasol.
Vinagre al estragón, use cualquier vinagre blanco.

Ingredientes

(6 personas)

Para la juliana de calabacín
12 colas de cigala
2 cucharadas de aceite de nuez (aromatizado al ajo)
50 g de peladura de calabacín
pimienta blanca molida
sal

Para la mahonesa gelatinizada
1 yema de huevo
1 huevo entero
2 cucharaditas de zumo de limón
2 cucharaditas de vinagre blanco al estragón
1 dl de aceite de cacahuete
2 hojas de gelatina
un poco de agua
sal

Para la vinagreta templada a la naranja
5 cucharadas de aceite de oliva
1 cucharadita de zumo de lima
3 cucharadas de zumo de naranja
1 cucharadita de soja
1 cucharada de corteza de naranja confitada picada
sal

Además
aceite de oliva (para freír)
cebollino picado
1 cucharadita de pimentón dulce

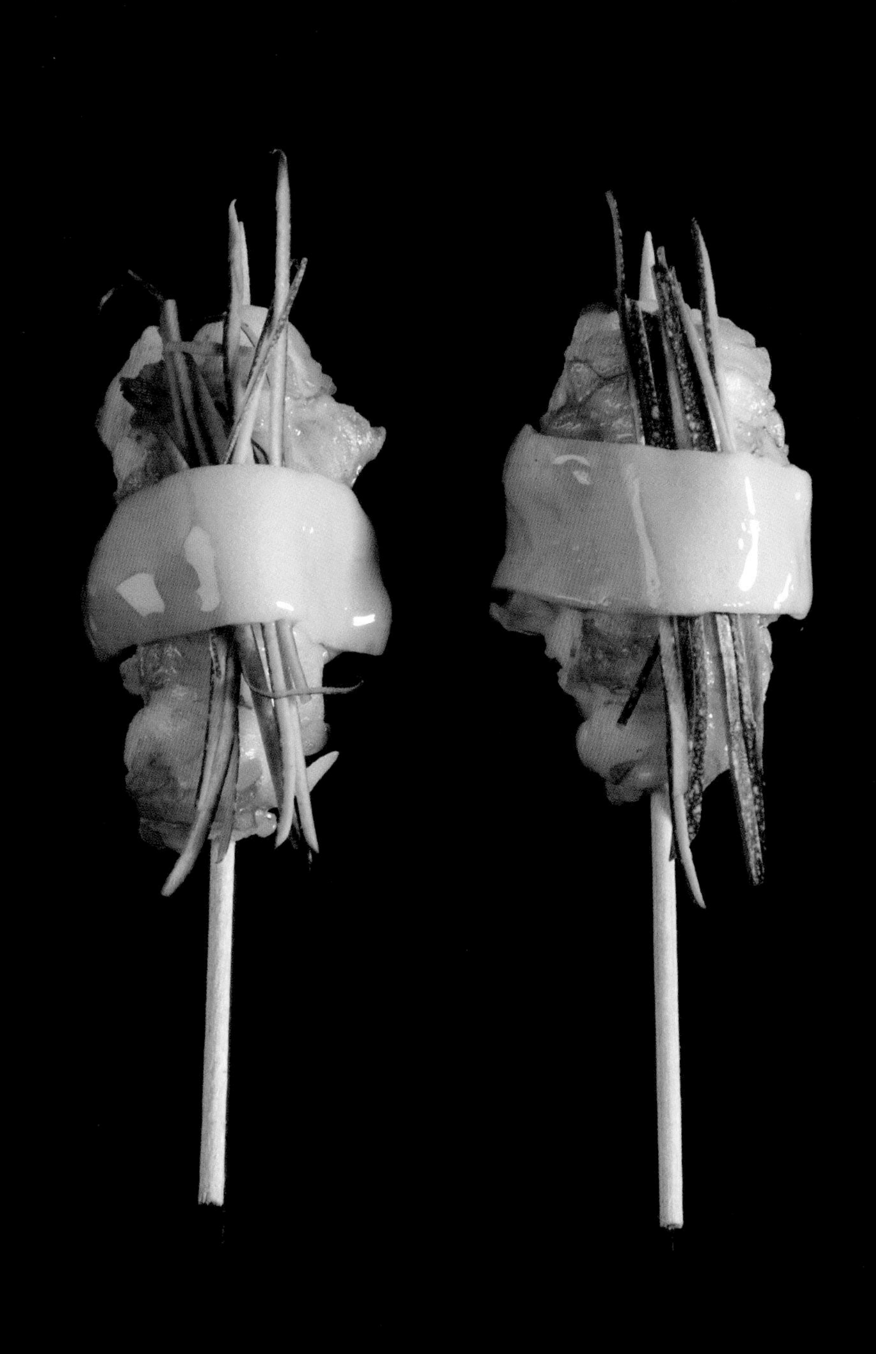

Lubina con guindillas heladas

Ingredientes
(6 personas)

Para la lubina
1 lubina (de la que aprovecharemos 200 g)
sal

Para las guindillas
125 g de guindillas en vinagre escurridas

Además
aceite de oliva virgen

Elaboración

Para la lubina
Limpiar y retirar las espinas y la piel. Con los 200 g de la lubina limpia se hacen unos finos filetes y se sazonan (reservándolos).

Para las guindillas
Quitar los rabos de las guindillas y triturarlas formando una pasta o un puré espeso; se coloca en el congelador hasta que quede completamente helado.

Final y presentación

Rascar con un utensilio (rasqueta o tenedor) el bloque helado del puré de guindillas para obtener una especie de granizado. Envolver este granizado con el filete de lubina. Añadir unas gotas de aceite de oliva virgen.

Si no encuentra

Guindillas, puede sustituirlas por pepinillos en vinagre.

La lubina, pese a que ya nada menos que Arquestrato en la primitiva Grecia la llamó "deliciosa hija de los dioses", ha sido considerada durante muchos años un pescado "de enfermos". El porqué de esta injusta calificación entronca directamente con los gustos de una época pasada en donde se apreciaban más los sabores potentes que los caracteres de finura y delicadeza tan en boga hoy día.
Este "lobo de mar" es un pez bello, elegante de formas, de piel luminosa, gris azulado metálico en sus lomos y plateado en sus costados y vientre, carnicero, depredador y sagaz como pocos y que, precisamente, por ser astuto y desconfiado, se le considera entre los pescadores deportivos uno de los máximos trofeos.
Es curioso que, pese a ser un pez marino, en ocasiones puede encontrarse en los ríos. El río es para las lubinas un lugar de excursión temporal, unas pequeñas vacaciones, ya que este pez habita normalmente en las costas rocosas cerca de la desembocadura de los ríos, donde suele alimentarse de pequeños cangrejos y camarones que dan a su carne ese toque de sabor que recuerda ligeramente al marisco.
Entre sus preparaciones tradicionales sobresalen las cocciones al vapor, a la parrilla y en costra de sal, con pocos aditamentos, como puede ser alguna que otra hierba aromática. Tal es el caso de la lubina al hinojo en la Provenza, un feliz maridaje de este fino pescado con la planta más emblemática de aquella región.
Pero quien de verdad logró una gran fórmula con este pescado, que ya es parte de nuestra historia, es ese gran amigo y excepcional cocinero, Pedro Subijana. La lubina a la pimienta verde, nacida en los albores de nuestra renovación culinaria de los setenta, no sólo marcó toda una época y un estilo, sino que supuso una revalorización de un pescado que hasta entonces no había tenido en nuestra cocina vasca una fórmula que mereciera la pena.

Tomate asado y crujiente

Ingredientes
(6 personas)

12 tomates cherry
una pizca de orégano
un ajo picado
una cucharada de perejil picado
una cucharada de aceite de oliva
agua y sal

Además
hojas de pasta filou
una cucharada de aceite de oliva
perejil picado

Elaboración

Escaldar los tomates cherry en agua con sal y pelarlos. Saltearlos en una sartén con el aceite, el orégano, el ajo y el perejil indicados.

Final y presentación

Cortar la pasta filou en cuadrados y envolver los tomates con ellos, espolvoreándolos con perejil picado. Hornearlos durante 4 o 5 minutos con un poco de aceite a 180 grados.

Si no encuentra

Pasta fliou, utilice hojaldre congelado.
Tomates cherry, emple tomate en trocitos.
Orégano, emplee pimienta.

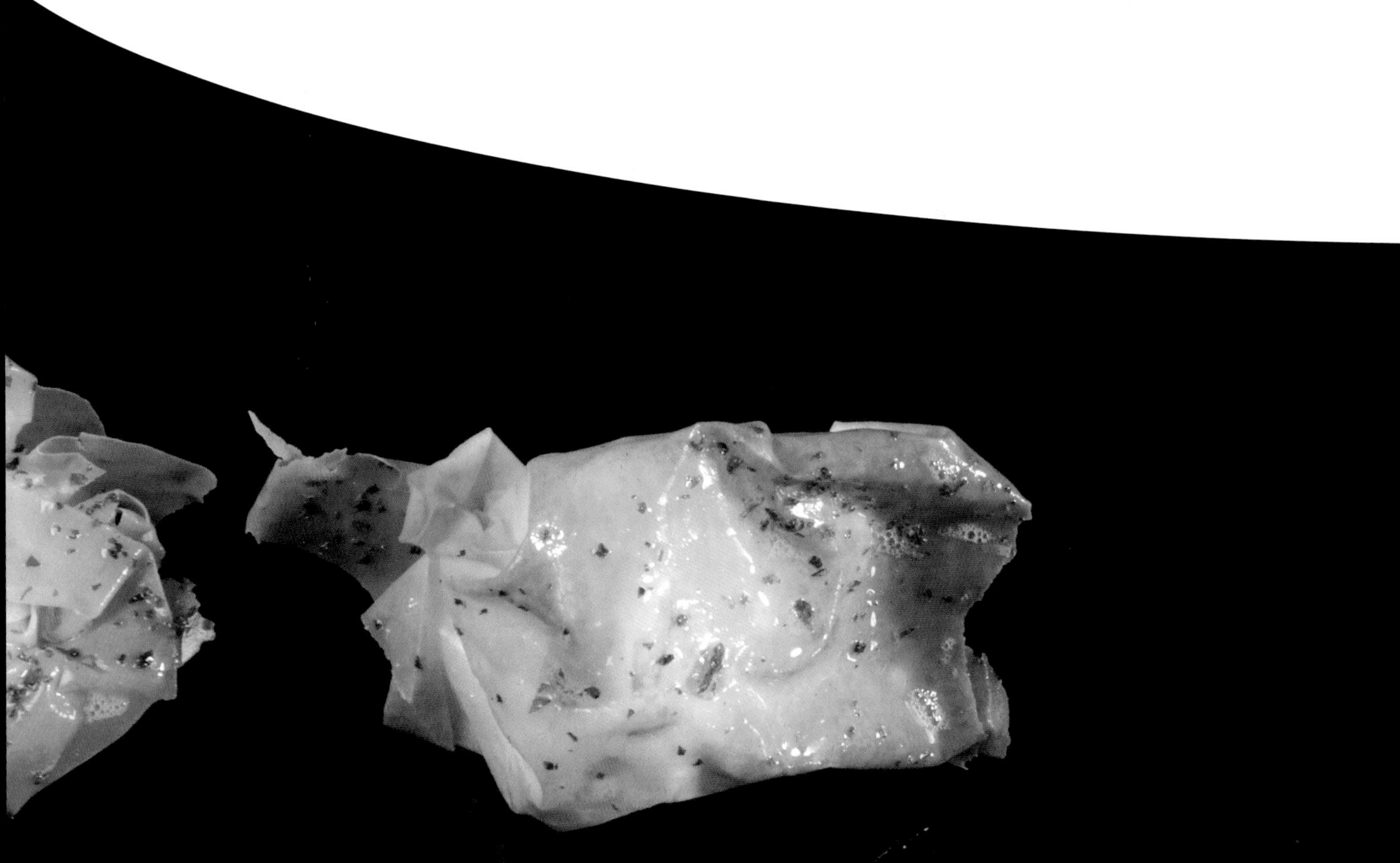

En esta receta hemos conjugado de forma sencilla la delicadeza de los pequeños tomates cherry con un envoltorio crujiente de mucha actualidad. En cuanto a estos tomates de tamaño miniatura, conocidos también con el nombre de tomate cóctel, su producción se da, básicamente, en invernaderos. Se usa para acompañar ensaladas o como decoración de platos. El cultivo del tomate cherry en invernadero en España se introdujo a finales de la década de 1970, en general para exportar. La característica más importante, además del escaso tamaño de los frutos, es su sabor dulce y agradable.

En cuanto al envoltorio crujiente, hemos recurrido a la pasta filou, que consiste en una masa o pasta blanda, fina y transparente como una hoja de papel, elaborada con harina común, aceite, sal y agua. Es de origen griego y se utiliza en especial en la cocina griega y árabe para repostería y para rellenar de preparaciones saladas. Puede comprarse o elaborarse caseramente, y se conserva hasta un año congelada.

La pasta filou no debe estar nunca, o lo menos posible, expuesta al aire. Mientras no se trabaja con ella, lo cual debe hacerse con mucha rapidez, debe cubrirse siempre con un paño.

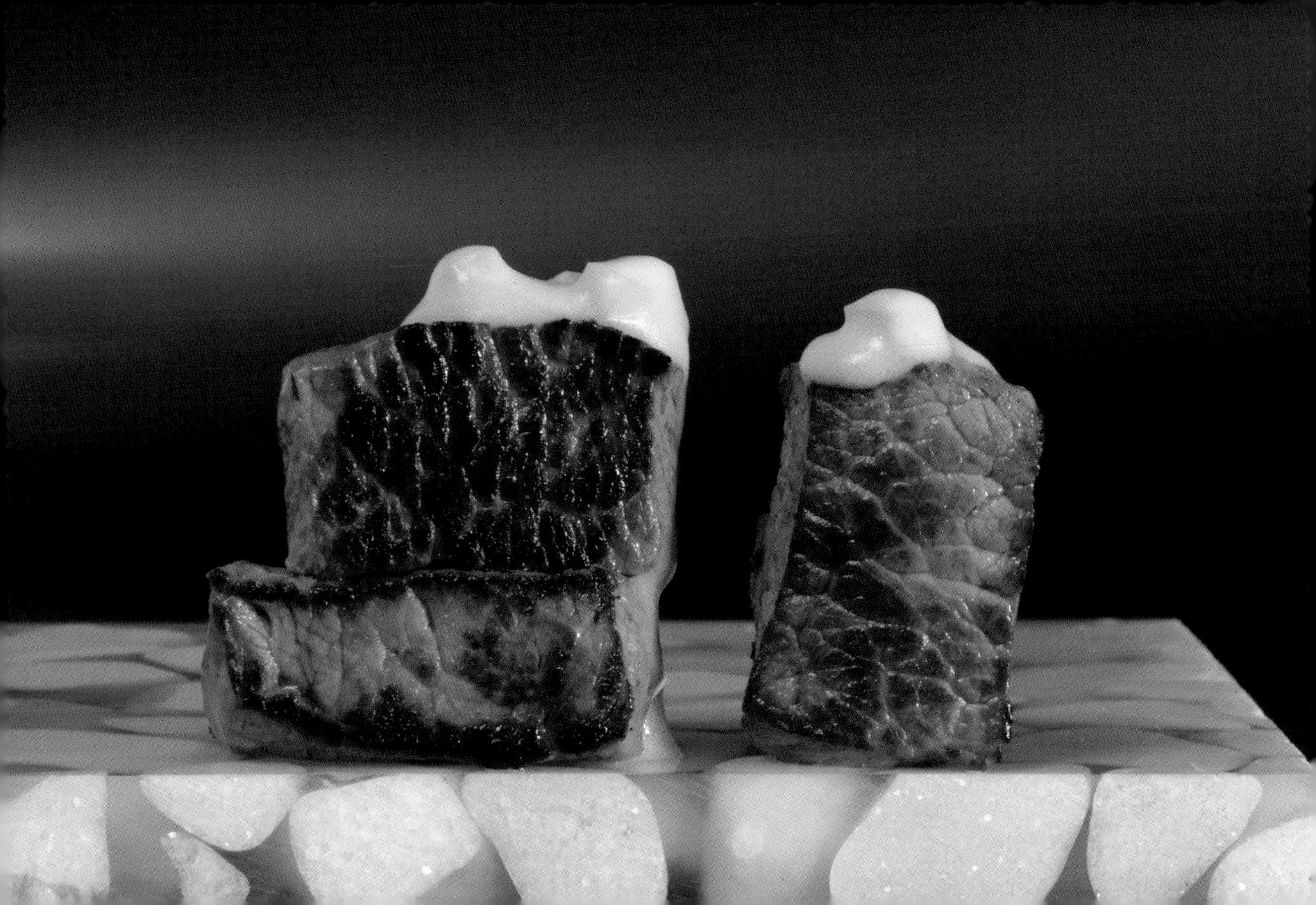

Cabrito con alioli de frutas y sésamo

Elaboración

Para el cabrito
Cortar en tacos el cabrito y sazonar. Dejar macerando en el aceite de pepita de uva junto con la pimienta y los dientes de ajo durante una hora.

Para el alioli de frutas y sésamo
Saltear el sésamo a fuego vivo y reservar.
Majar los ajos con el aceite hasta formar una pasta. Añadir el sésamo tostado y el puré de manzana asada removiendo hasta homogenizar la pasta. Por último, añadir la pulpa de naranja picada y el azafrán.

Final y presentación

Poner en una sartén antiadherente a fuego vivo los tacos y hacerlos medio minuto por cada lado, coloreándolos bien. Añadir por encima el alioli de frutas y sésamo.

Si no encuentra

Aceite de pepita de uva, utilice otro aceite de semillas.

Ingredientes

(6 personas)

Para el cabrito
600 g de lomo de cabrito sin grasa
½ dl de aceite de pepita de uva
2 dientes de ajo
granos de pimienta negra
sal

Para el alioli de frutas y sésamo
15 g de sésamo blanco
2 dientes de ajo frítos
carne de una manzana asada
pulpa de media naranja en pedazos
½ l de aceite de oliva
2 hebras de azafrán

Trufa morcillosa

Elaboración

Quitamos las partes duras de la berza y las ponemos a secar en el horno a 60 grados hasta que estén secas.
Asar la morcilla con una cucharada de aceite a 190 grados durante 15 minutos aproximadamente. Transcurrido este tiempo, sacarla del horno y triturarla formando una pasta o puré. Saltear los taquitos de manzana con el aceite restante e incorporarlos a la pasta de morcilla. Cuando la pasta esté fría, formar unas bolitas y acto seguido introducirlas en el horno dándoles un golpe de calor. Rebozarlas en cacao.

Final y presentación

Servir las trufas de morcilla acompañadas por la berza seca.

Si no encuentra

Cacao, prescindir de él.

Ingredientes

(6 personas)

½ kg de morcilla de verduras
25 g de cacao en polvo
1 manzana reineta (pelada y cortada en taquitos)
2 cucharadas de aceite
6 hojas de berza

Digna de veneración

De toda esa suerte de morcillas de aquí y de allí, norteñas o sureñas, con o sin arroz, con sólo sangre o con carnes o verduras, no puede faltar esa morcilla elaborada además de con sangre con profusión de verdura, sobre todo puerro y cebolla, y que es conocida genéricamente por la localidad donde reside su cofradía y en donde se celebran los concursos más sonados: Beasain. Aunque para ser sinceros, las morcillas "de toda la vida" que consumimos en mi casa son de un pueblo, también del Goierri guipuzcoano, Ataun, y donde las probé siendo un niño en el caserío familiar. Creo que pocas morcillas de las muchas que conozco le pueden hacer sombra. Acaso, las más curiosas (llevan cebolla y arroz) y sabrosas, al margen de las reseñadas, según me informa mi amigo y colaborador Mikel Corcuera, sean las que se elaboran en la capital palentina por una casa dedicada en cuerpo y alma a este embutido, y cuyo rótulo, que preside el puesto dentro del mercado de la citada capital, es sumamente expresivo de su absoluta exclusividad: "Hijos de Juliana, Morcillas".
Desde luego en este caso es atinado el elogio de aquel poeta segoviano, Baltasar de Alcázar, hombre gotoso y de gran sentido del humor: "La morcilla, ¡oh, gran señora digna de veneración!".

Patata fibra óptica

Elaboración

Para la patata
Cortar las patatas en cubos de unos 3 x 3 cm. Después, hacerles unos cortes profundos y verticales, unos en un sentido y otros en el contrario, sin llegar hasta la base. Cocerlos a fuego muy lento, dejándolos casi cocidos. Sobre una sartén caliente planchar el lado cortado de los cubos dorándolos, y sazonar.

Para la vinagreta
Mezclar todos los ingredientes y dar punto de sal.

Final y presentación

Presentar la patata con la parte superior dorada y aliñada con la vinagreta.

Si no encuentra

Pulpa de maracuyá, utilice pulpa de piña en zumo de naranja.
Aceite de melaza, use aceite con azúcar.

Ingredientes
(6 personas)

Para la patata
3 patatas
agua para cocer
aceite de oliva
sal

Para la vinagreta
100 g de aceite de oliva virgen extra
pulpa de 2 maracuyás
10 g de aceite de melaza
pimienta negra
sal

Cordero con caña de azúcar

Elaboración

Para la caña de azúcar

Cortar la caña en tiras finas de 8 cm aproximadamente.

Para el cordero

Cortar el lomo en pedazos y atravesar cada uno de ellos con varias tiras de caña. Salpimentar el cordero y freírlo, dejándolo poco hecho.

Para la vinagreta

Mezclar los ingredientes y rectificar de sal si fuese necesario.

Final y presentación

Colocar el lomo de cordero con su caña boca arriba y aliñar con la vinagreta.

Es recomendable después de comer el cordero masticar o chupar la caña.

Si no encuentra

Caña de azúcar, emplee canela en rama.

Pimienta de sichuán, use pimienta negra.

Aceite de calabaza, sustitúyalo por aceite de semillas.

Ingredientes

(6 personas)

Para la caña de azúcar

100 g de caña de azúcar

Para el cordero

500 g de lomo de cordero
1 dl de aceite de oliva
pimienta de sichuán
sal

Para la vinagreta

½ dl de aceite de calabaza
1 cucharada de aceto balsámico
jengibre en polvo
sal

Higos sin corazón

Elaboración

Para los higos
Vaciar los higos retirando la parte superior pero reservándola.

Para el relleno
Freír el bacón ligeramente. En otra sartén aparte freír las guindillas a fuego lento.

Final y presentación

Rellenar los higos con el bacón y las guindillas, tapando cada higo con el caperuzón retirado anteriormente. Añadir una gota de aceite en cada higo e introducirlo en el horno 10 minutos a 200 grados. Servir caliente.

Si no encuentra

Higos frescos porque no es la temporada, use higos secos rehidratados.

Ingredientes

(6 personas)

Para los higos
12 higos frescos

Para el relleno
24 lonchas de bacón finas
12 guindillas frescas y pequeñas
1 dl de aceite de oliva

Además
1 cucharada de aceite de oliva virgen extra

El higo es el fruto de la higuera, árbol de la familia de las moráceas, oriunda del Mediterráneo El higo es un fruto que ha formado parte de la dieta habitual de diferentes culturas desde tiempos muy remotos. En Egipto, concretamente en la pirámide de Giza (4.000-5.000 a.C.), se han encontrado dibujos representativos de su recolección. En el libro del Éxodo forman parte de los frutos que los exploradores de Canaán presentaron a Moisés. Siempre fueron un alimento esencial para los griegos: las higueras se consagraban a Dionisos, el dios de la renovación. Cuando se fundaba una ciudad se plantaba una higuera entre el ágora y el foro para señalar el lugar donde se reunirían los ancianos. Fue el manjar predilecto de Platón, de hecho, el higo es conocido como la "fruta de los filósofos". Galeno recomendaba su consumo a los atletas que participaban en los Juegos Olímpicos.

Estos frutos se pueden clasificar en tres grupos dependiendo del color de su piel. Las variedades blancas, de color blanquecino, amarillento o verde cuando están maduros; las coloreadas incluyen los frutos de color azulado más o menos claro; y las variedades negras, de color rojo oscuro o negro.

Uvas con cordero

Elaboración

Para las uvas
Pelar las uvas y reservarlas.

Para el envoltorio de cordero
Triturar el conjunto de los ingredientes hasta formar una masa.

Para la salsa
Hervir ambos ingredientes a la vez y reducir a fuego lento hasta obtener una textura melosa.

Final y presentación

Envolver la uva pelada con la masa de carne triturada formando bolitas que pincharemos con un palillo. Freír en el aceite caliente y escurrirlas en el momento de servir. Acompañar las bolitas de cordero con uvas con unas pinceladas de salsa.

Si no encuentra

Salsa de soja, emplee una reducción de zumo de naranja y mosto.
Jengibre, use una pizca de guindilla o cayena.

Ingredientes

(6 personas)

Para las uvas
12 uvas

Para el envoltorio de cordero
¼ de l de nata
½ kg de carne de cordero
20 g de salsa de soja
2 dientes de ajo picados y fritos
sal
jengibre

Para la salsa
150 g de salsa de soja
50 g de azúcar

Además
aceite de oliva para freír

La soja

Es una salsa de origen oriental que se elabora a base de brotes de soja fermentados, trigo y sal. En nuestros mercado solemos encontrar una salsa de soja oscura y de fuerte sabor, y otra salada y de color más claro. Ambas salsas proceden de China y son las más conocidas, aunque debemos saber que existe salsa de soja procedente de Indonesia, con un cierto sabor dulzón y más aromática que la soja china. De cualquier forma, la reina de las salsas de soja es la originaria de Japón, de color ámbar y un sabor suave.

Croquetas de gambas con sandía

Elaboración

Para las croquetas de gambas

Triturar todos los ingredientes en conjunto hasta conseguir una masa y sazonar.

Freír en abundante aceite en pequeñas porciones y reservar.

Para la sandía marinada

Cortar en cubos la sandía (sin pepitas). Introducir los cubos de sandía durante 10 minutos en la mezcla que habremos realizado con los ingredientes restantes. Escurrir y reservar.

Para la pasta frita

Freír la pasta en aceite, coloreándola ligeramente. Utilizar tres fideos de 6 cm por persona. Sazonar.

Final y presentación

Introducir los fideos en la sandía, a la que utilizaremos de base. En la parte superior colocar la croqueta pinchada en los fideos. Añadir sobre la sandía su marinada.

Si no encuentra

Soja, prescinda de ella.

Jengibre, use pimienta blanca.

Vinagre de arroz, utilice vinagre de vino.

Ingredientes

(6 personas)

Para las croquetas de gambas

100 g de carne de lubina
50 g de aceite de sésamo
10 colas de gambas
3 dientes de ajo fritos
1 clara de huevo
25 g de soja
25 g de vino blanco
sal
pimienta negra
jengibre
1 dl de aceite de oliva virgen

Para la sandía marinada

¼ de sandía
100 g de aceite de oliva 0,4
20 g de vinagre de arroz
10 g de azúcar
sal

Para la pasta frita

20 g de fideos finos de harina de trigo
100 g de aceite de oliva 0,4
sal

La peluca del corzo

Elaboración

Para el corzo
Limpiar el corzo de ternillas y venas. Cortar en raciones y sazonar con todos los ingredientes excepto el aceite de oliva. Plancharlo en una sartén caliente con el aceite correspondiente a fuego vivo, sin que se haga mucho.

Para los pelos del corzo
Cortar las verduras en tiras finas de 15 cm de largo aproximadamente. Mezclar la harina con el caldo frío y el ras al hanout. Sazonar la tempura y reservar
Colocar las tiras de verdura en lotes (por cada unidad de corzo).

Final y presentación

En la parte superior del corzo colocar una cucharada pequeña de tempura y sobre ella las finas tiras de verduras, que caigan a ambos lados del corzo. Sumergir el corzo durante un instante en aceite de oliva a 180 grados para que se frían las verduras, se queden pegadas y adquieran volumen. Escurrir bien.

Si no encuentra

Jengibre, use pimienta blanca.
Ras al hanout, sustitúyalo por pimentón.
Yuca, emplee patata.

Ingredientes
(6 personas)

Para el corzo
600 g de lomo de corzo
1 cucharada de aceite de oliva
pimienta
jengibre en polvo
sal

Para los pelos del corzo
40 g de harina para tempura
50 g de caldo de carne
1 g de ras al hanout
pimiento verde
pimiento rojo
zanahoria
yuca
sal

Además
Aceite de oliva para freír

Bonito en hoguera de escamas

Elaboración

Para el mojo de pieles y escamas
Cortar el tomate y pasarlo por la plancha con un poco de aceite. Aparte, freír con la mitad del aceite las pieles de bonito hasta que estén crujientes. Escurrirlas bien y mezclar todos los ingredientes. Triturar, colar y sazonar.

Para los lomos de bonito
Cortar el lomo de bonito en 6 rectángulos. Ahumar ligeramente los rectángulos de bonito durante 4 minutos en una ahumadora. Una vez finalizado el ahumado, sazonar, untar el mojo y pasarlo por la plancha, dejando el lomo jugoso.

Para el aceite de pimienta roja
Frotar bien todos los granos de pimienta entre sí. Recuperar sólo las pieles y mezclarlas con el aceite. Reservar.

Final y presentación

Colocar los lomos de bonito de pie.
Salsear ligeramente sobre los lomos el aceite de pimienta roja.

Si no encuentra

Vinagre de módena, utilice un vinagre de vino suave.
Pimienta roja, utilice pimienta negra.

Ingredientes

(6 personas)

Para el mojo de pieles y escamas
15 g de pan
½ tomate
1 cebolleta
30 g de pieles con escamas de bonito (negras)
100 g de aceite de oliva 0,4
35 g de almendras fritas
10 g de vinagre de módena
azúcar
sal

Para los lomos de bonito
300 g de bonito del norte (50 g por ración)
sal

Para el aceite de pimienta roja
10 g de pimienta roja
60 g de aceite de oliva 0,4

Uno de los pescados que evocan de inmediato los calores estivales es el atún rojo o cimarrón.
En la propia etimología de la palabra atún parece encerrarse todo un símbolo de su actividad acuática. Así, la palabra *thunnus* del bajo latín fue tomada por los árabes con el nombre de *tun*. Curiosamente fueron los árabes y no los romanos quienes la dejaron en nuestro idioma latino, como prueba la inequívoca "a" que precede a este vocablo. La vida del atún rojo también es de ida y vuelta. A fines del invierno los atunes dejan las profundas aguas del Atlántico y en bandadas atraviesan el estrecho de Gibraltar, dirigiéndose a desovar a las costas de Córcega y Cerdeña.

Son los llamados atunes de paso. Después del desove y posterior fecundación se inicia el viaje de vuelta hacia el Atlántico en junio, que se prolonga hasta octubre. Son los atunes de retorno. Las travesías anuales de estos túnidos, que son el equivalente a la pasa y contrapasa de la paloma, han dado lugar a un inigualable y espectacular arte de pesca, que se conoce desde los fenicios: las almadrabas andaluzas: unos intrincados laberintos construidos con redes verticales donde caen los atunes en su paso por el estrecho. La llamada "levantá", una vez acorralados los peces por los barcos, y que consiste en sacar con los garfios a los atunes, es un espectáculo tan dramático y sangriento tanto o más que la matanza del cerdo, y poco aconsejable para personas sensibles.

Chipirón como estrella

Ingredientes

(6 personas)

Para el chipirón
12 chipirones pequeños de anzuelo
2 cucharadas de aceite de oliva
perejil picado
jengibre en polvo
sal

Para la espuma de pimiento verde
4 pimientos verdes
1 naranja

Además
salsa de frambuesa
salsa de tinta de chipirón
aceite de oliva
perejil picado
sal

Elaboración

Para el chipirón
Limpiar bien los chipirones enteros y separar los cuerpos. Guardar las aletas y los tentáculos, que utilizaremos para el relleno de los chipirones.
Hacer dos cortes paralelos en la parte cóncava (final) del chipirón y reservar. Cortar con un cuchillo finamente las aletas y los tentáculos, que será el relleno en crudo, como si fuera un tartar, añadiendo el aceite de oliva y el perejil picado. Sazonar y añadir una pizca de jengibre en polvo.

Para la espuma de pimiento verde
Licuar los pimientos y la naranja. Con ayuda de una batidora pequeña batir el licuado hasta conseguir que haya espuma en la superficie del licuado y reservar.

Final y presentación

Sazonar los chipirones y pasarlos por la sartén con un poco de aceite de oliva y perejil picado, quedando como una flor por el corte que se le ha dado. Colocar en el plato los chipirones dejando cierta distancia entre uno y otro. Introducir en su interior el tartar de chipirón y sobre el mismo la espuma de pimiento verde.
En el fondo del plato hacer unos dibujos con la salsa de tinta de chipirón, unas gotas de salsa de frambuesa y otras de aceite de oliva.

Si no encuentra

Jengibre en polvo, prescinda de él o emplee una pizca de pimienta negra.
Salsa de frambuesa, sustitúyala por salsa de alguna fruta roja.

Boniatos con bogavante

Elaboración

Para el boniato
Cortar el boniato en láminas finas.

Para el bogavante
Limpiar bien el puerro y cortarlo en juliana fina. Pocharlo en aceite a fuego suave.
Escaldar durante un minuto el bogavante y retirar toda su carne. Cortar ésta en pedazos y saltearla ligeramente con el puerro y el estragón picados. Sazonar y añadir regaliz en polvo.

Para la vinagreta de tamarindo
Mezclar bien todos los ingredientes deshaciendo la pasta de tamarindo. Sazonar.

Final y presentación

Introducir el bogavante en la lámina de boniato y cerrarla sujetándola con unos palillos. Freír en aceite, retirar los palillos y sazonar.
Acompañar los boniatos fritos con la vinagreta.

Si no encuentra

Boniato, use patata.
Estragón, prescinda de él.
Pasta de tamarindo, use pulpa de higo seco rehidratada con zumo de limón.

Ingredientes
(6 personas)

Para el boniato
1 boniato grande

Para el bogavante
1 puerro grande
2 cucharadas de aceite oliva 0,4
1 rama de estragón
1 bogavante (350 g aprox.)
regaliz en polvo
sal

Para la vinagreta de tamarindo
10 g de azúcar de melaza
1 cucharada de pasta de tamarindo
2 cucharadas de aceite de oliva virgen
pizca de vinagre de jerez
sal

Además
aceite de oliva
sal

5 verduras

Ingredientes
(6 personas)

Para las verduras crujientes
20 g de cada una de las siguientes verduras: zanahoria, pimiento verde, judías verdes, nabo y yuca
sal

Para la harina de tempura
un sobre de harina para tempura
aceite de oliva

Para la vinagreta
aceite de sésamo
una pizca de cúrcuma y de cártamo

Elaboración

Para las verduras crujientes
Cortar todas las verduras en tiras finas y sazonar ligeramente.

Para la harina de tempura
Introducir las verduras en la tempura (previamente mezclada con el agua indicada por el fabricante) y freírla.

Para la vinagreta
Mezclar el conjunto de los ingredientes.

Final y presentación

Presentar las verduras crujientes de pie y untar a la hora de comer en la vinagreta elaborada.

Si no encuentra

Aceite de sésamo, use aceite de semillas.
Cártamo, prescinda de él.
Cúrcuma, use un colorante alimentario.

El método básico de preparación de la tempura fue introducido por los misioneros jesuitas portugueses que llegaron a Japón a mediados del siglo XVI. El origen de la palabra tempura proviene de témporas. Por la abstinencia de carnes, los sacerdotes freían el pescado al no poder incluir carnes en sus dietas. De ahí que los japoneses empezaran a divulgar la fritura, no sólo del pescado, sino de verdura.
Es un claro ejemplo de un plato que siendo adoptado se ha convertido en uno de los emblemas de la cocina japonesa; el método básico de preparación se ha ido refinando a través de los siglos, y tienen la misma importancia la calidad y la fórmula del aceite, su temperatura, la fórmula de la harina para la masa, como el grado y temperatura al que se mezclan los ingredientes para rebozar con agua helada, muy fría.
El ingrediente básico son las gambas grandes, pero también los calamares y verduras como las hojas y capullos de shiso, hojas jóvenes de zanahoria... etcétera.
El momento en que se sirve la tempura ya hecha es crucial: hay que sentarse justo delante del cocinero y comer nada más esté hecha. Los fritos se comen mojando en un caldo claro que se llama *tentsuyu* (dashi condimentado con salsa de soja y mirín), al que se le añade daikon rallado (rábano blanco gigante) y jengibre. También se puede comer simplemente con sal y zumo de limón, pero en la auténtica tempura la sal nunca está en su masa.

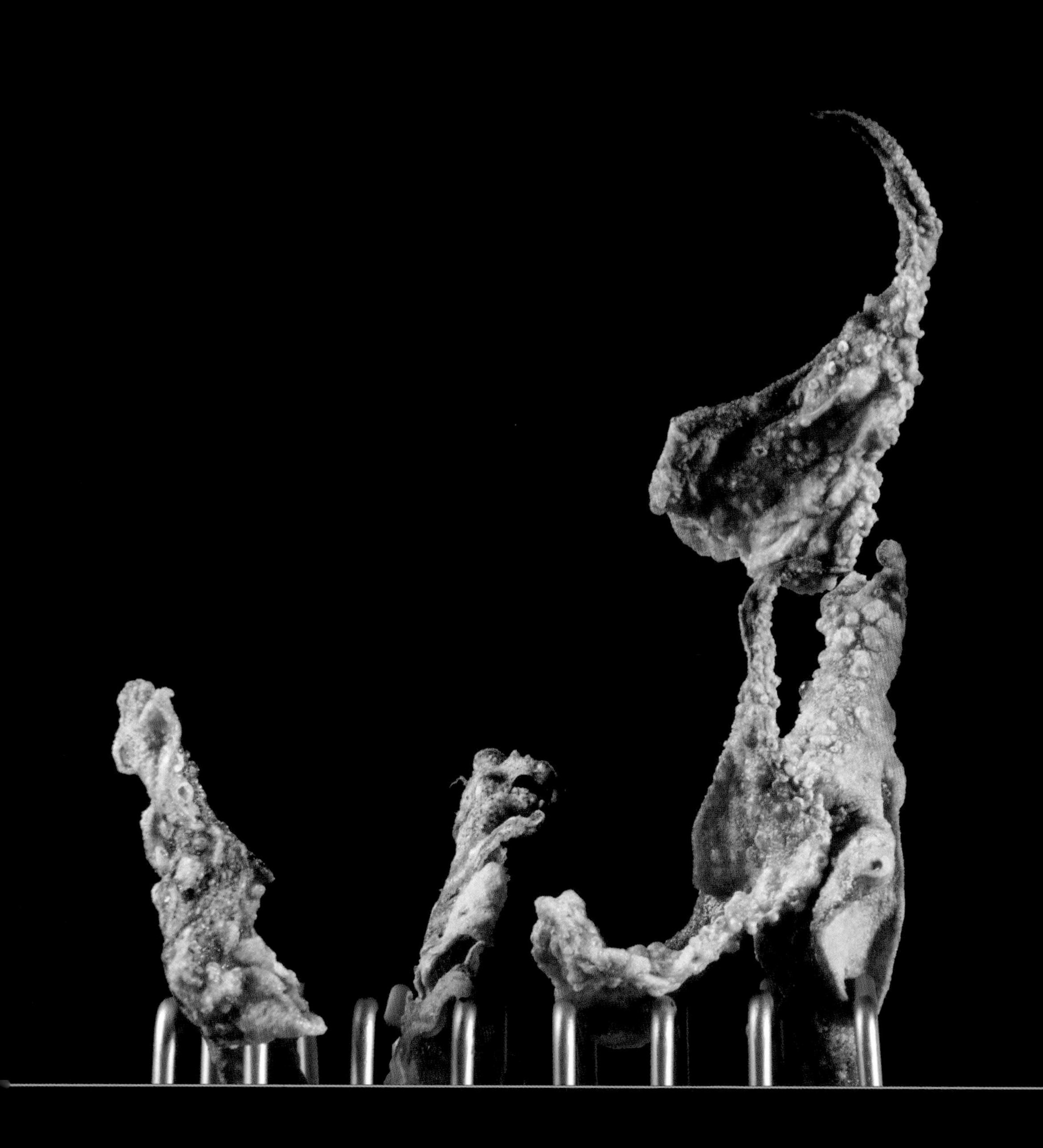

El sabor del chipirón

Ingredientes

(6 personas)

6 chipirones medianos
jengibre en polvo
aceite de oliva 0,4
sal

Elaboración

Abrir el chipirón, limpiarlo y espolvorearlo con el jengibre y la sal. Ponerlo entre 2 papeles sulfurizados y dejarlos secar en una deshidratadora 24 horas a 50 grados. Transcurrido este tiempo, se fríen aceite de oliva 0,4.

Final y presentación

Depositar los chipirones en un plato dos minutos después de su fritura, ya que si lo hacemos antes su textura no será la adecuada.

Si no encuentra

Jengibre en polvo, utilice pimienta blanca.

Piel de rape

Ingredientes

(6 personas)

4 pieles de 4 rapes de 1½ kg cada uno
2 l de agua
1 puerro
1 zanahoria
1 cebolla
pimienta negra en grano
100 g de panko
polvo de cabezas de gamba
30 g de harina de garbanzos
1 huevo
pimienta
sal

Elaboración

Sacar las pieles de los rapes y reservar la carne para otros usos. Cocer las pieles en el agua con las verduras durante hora y media a fuego lento. Sacar, escurrir (las 4 pieles) y dejar secar una de ellas durante 24 horas, freírla, salpimentarla y reservar. Las restantes se reservan en frío.

Final y presentación

Pasar por harina de garbanzo y huevo las pieles. Rebozar en panko y freír con aceite. Una vez frítas, ponerlas sobre papel absorbente y espolvorear con el polvo de las cabezas de gamba y trozos de piel frita. Comer muy caliente.

Si no encuentra

Panko, utilice pan rallado.
Harina de garbanzos, use harina de maíz.

Salmonete entre papeles

Ingredientes

(6 personas)

Para el mojo de hígados de salmonete

100 g de tomate confitado (confitar el tomate pelado y despepitado con una pizca de sal, azúcar y tomillo durante 1 hora a 125 grados en el horno)
la espina central de los salmonetes
hígados de los salmonetes
20 g de puré de almendras
1 dl de aceite de oliva 0,4
sal

Para el salmonete

3 salmonetes
sal
jengibre
regaliz en polvo

Elaboración

Para el mojo de hígados de salmonete

Recuperar las espinas de los salmonetes y freírlas a fuego medio hasta que estén bien crujientes. Triturar el conjunto de los ingredientes y sazonar.

Para el salmonete

Limpiar los salmonetes y trocear cada lomo en 2 partes. Sazonar ligeramente con sal, jengibre y regaliz en polvo. Introducir cada trozo entre dos láminas de papel vegetal y reservar.

Final y presentación

Untar cada trozo de salmonete con su mojo. En una sartén caliente con una gota de aceite colocar los salmonetes cubiertos de papel vegetal. Cocinarlos por ambos lados sin que cueza demasiado. Presentar los salmonetes con el papel.

Si no encuentra

Jengibre, use pimienta blanca.
Regaliz, puede utilizar anises.

Espina de rape y rape

Ingredientes
(6 personas)

Para el mojo de rape
100 g de cebolla pochada
45 g de hígado de rape
50 g de piñones tostados
25 g de aceite de oliva 0,4
25 g de zumo de fruta de la pasión
pimienta de jamaica
azúcar
jengibre
sal

Para el rape
1,2 kg de rape (entero)
sal

Para la espina del rape
la espina dorsal del rape (espinazo)
aceite de oliva

Elaboración

Para el mojo de rape
Triturar el conjunto de los ingredientes hasta formar una pasta espesa. Salpimentar y rectificar de azúcar y jengibre.

Para el rape
Limpiar el rape y deslomarlo guardando la espina central. Cortar 6 raciones. Sazonamos el rape y lo untamos con el mojo, haciéndolo en la plancha sin que se coloree en exceso.

Para la espina del rape
Cortar la espina central del rape (espinazo), con ayuda de una cortadora, longitudinalmente en dos mitades, de las cuales, con ayuda de una cuchara muy fina, extraeremos la médula que se encuentra en las uniones de los huesos. Reservar. Después se cortan las dos mitades de la espina en finas láminas que freiremos a fuego lento hasta que estén crujientes.

Final y presentación

Colocar el rape apoyando sobre él la espina frita. Sobre el rape colocaremos las porciones de médula.

Si no encuentra

Jengibre, use pimienta blanca.
Zumo de fruta de la pasión, puede sustituirlo por una mezcla de zumos de naranja y limón.
Pimienta de jamaica, use pimienta negra.

Al hacer la compra tenga en cuenta que el rape es uno de los pescados que más merma al cocinarlo. Aunque tenga mucho desperdicio y merme bastante más que otros pescados, de su parte más voluminosa, la cabeza, se aprovecha bastante una vez limpia. Tanto de sus carrilleras como del resto de sus huesos, que son por su gelatina y gustosidad elementos tan valorados para elaborar una sopa o caldo de pescado.
El rape hembra es mejor que el macho. Se distinguen por el color de la piel y tamaño: la hembra tiene piel oscura, cuerpo ancho y corto (se le suele llamar rape negro), mientras que el macho tiene la piel más clara, cabeza muy grande y cuerpo alargado.

Pichón a la cera perdida

Elaboración

Para el pichón
Retirar las pechugas al pichón, sazonarlas ligeramente y añadir el resto de ingredientes. Cocinarlas envasadas al vacío durante 12 minutos a 65 grados en una roner o en un horno a vapor. Una vez transcurrido este tiempo, pasarlas ligeramente por la plancha y reservar.
Utilizar las carcasas y demás recortes para la salsa

Para la salsa de pichón
Trocear las carcasas y dorarlas en una cazuela con un poco de aceite y el ramillete aromático.
Aparte, cortar las verduras y pocharlas en el resto del aceite hasta que estén ligeramente doradas. Escurrir bien de grasa las verduras y añadirlas a las carcasas. Rehogar bien el conjunto y cubrir de agua, dejando que reduzca. Colar y sazonar. Añadir unas gotas de aceite en el último momento.

Para el gel de cera
Calentar el conjunto de los ingrediente a 69 grados. Reservar en frío.

Ingredientes
(6 personas)

Para el pichón
2 pichones de 525 g cada uno
jengibre en polvo
regaliz en polvo
sal

Para la salsa de pichón
2 carcasas de pichón
3 cebollas medianas
4 puerros
1 ramillete aromático
2 dl de aceite
2 cucharadas de miel
sal

Para el gel de cera
125 g de aceite de girasol
21 g de cera

Final y presentación

Colocar la pechuga cortada en tres trozos. Sobre cada trozo colocaremos un poco de gel de cera. El propio calor tenderá a derretirlo, si no, con ayuda de un soplete pequeño se funde el gel. Salsear a su lado opcionalmente.

Si no encuentra

Jengibre, prescinda de él.

Vieiras con melón

Elaboración

Limpiar bien las vieiras, recuperando el cuerpo y su coral. Sazonar éstos e introducirlos en la mezcla del zumo de melón (reservar su piel) y vinagre durante 5 minutos. Rallar la piel del melón y reservar.

Final y presentación

Cocinar los cuerpos a la plancha con una cucharada de aceite, coloreando bien las vieiras. Aparte, saltear el coral en una sartén con el aceite restante.
Presentar las vieiras embadurnadas en la piel de melón y sobre ellas el coral.

Si no encuentra

Vinagre de vino blanco Chardonnay, utilice cualquier otro vinagre de vino blanco seco.
Sal ahumada, use sal común.

Ingredientes

(6 personas)

12 vieiras enteras
medio melón
1 cucharada de vinagre de vino blanco Chardonnay
sal ahumada

Además
2 cucharadas de aceite de oliva

Gambas con patatas

Ingredientes

(6 personas)

Para las patatas
4 patatas violetas
200 g de aceite de oliva
pimienta
sal

Para las gambas
12 gambas
200 g de sal gorda
½ dl de aceite de oliva

Elaboración

Para las patatas
Cortar las patatas y confitarlas en el aceite de oliva que habremos ahumado ligeramente con anterioridad. Salpimentar y reservar.

Para las gambas
Pelar las gambas y guardar sus cabezas. Cubrir las gambas de sal y dejarlas durante 15 minutos así; después, mantenerlas en aceite de oliva hasta su uso.
Hacer una incisión en la parte superior del cuerpo de la gamba y reservar.

Final y presentación

Posar la gamba sobre la patata ahumada. Aplastar la cabeza de la gamba sobre la incisión hecha sobre ella.

Si no encuentra

Patata violeta, use patata común.

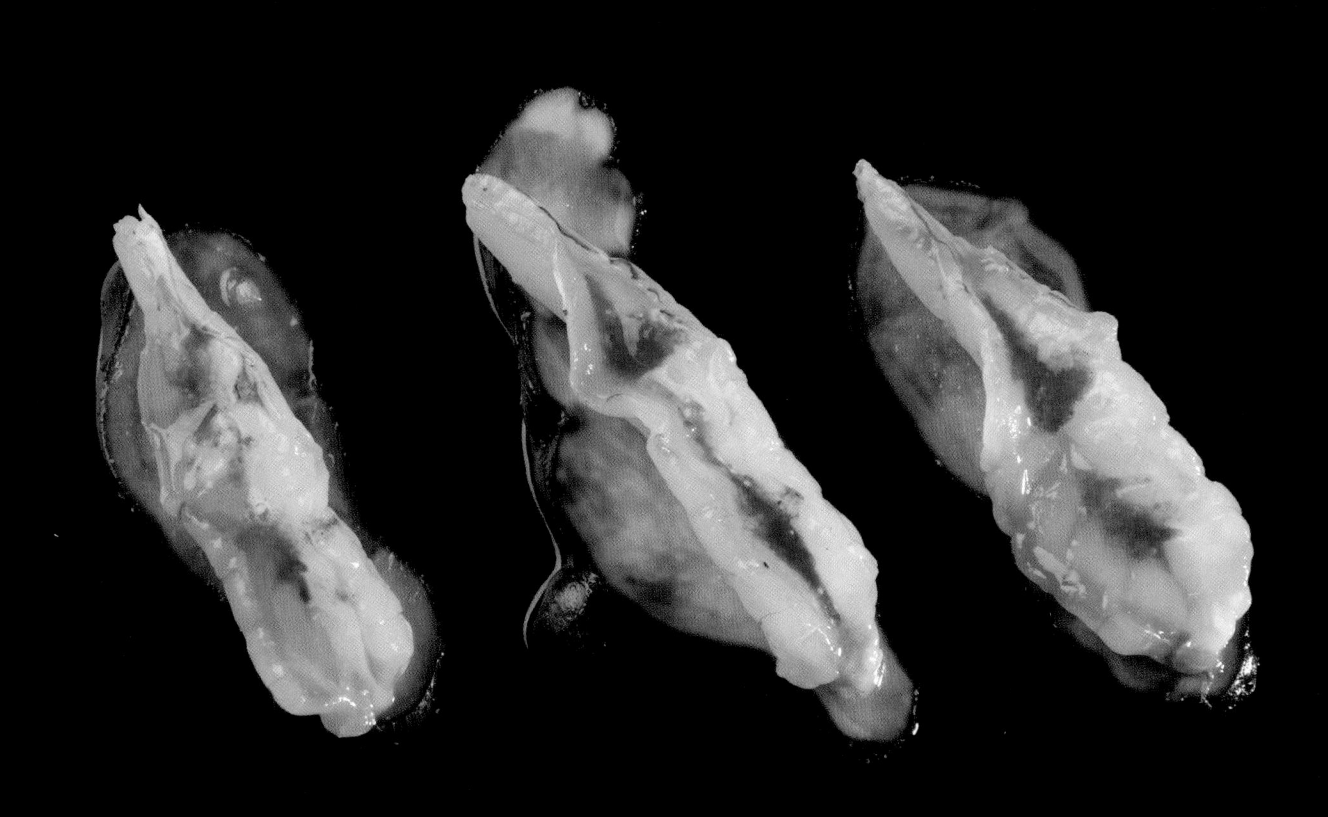

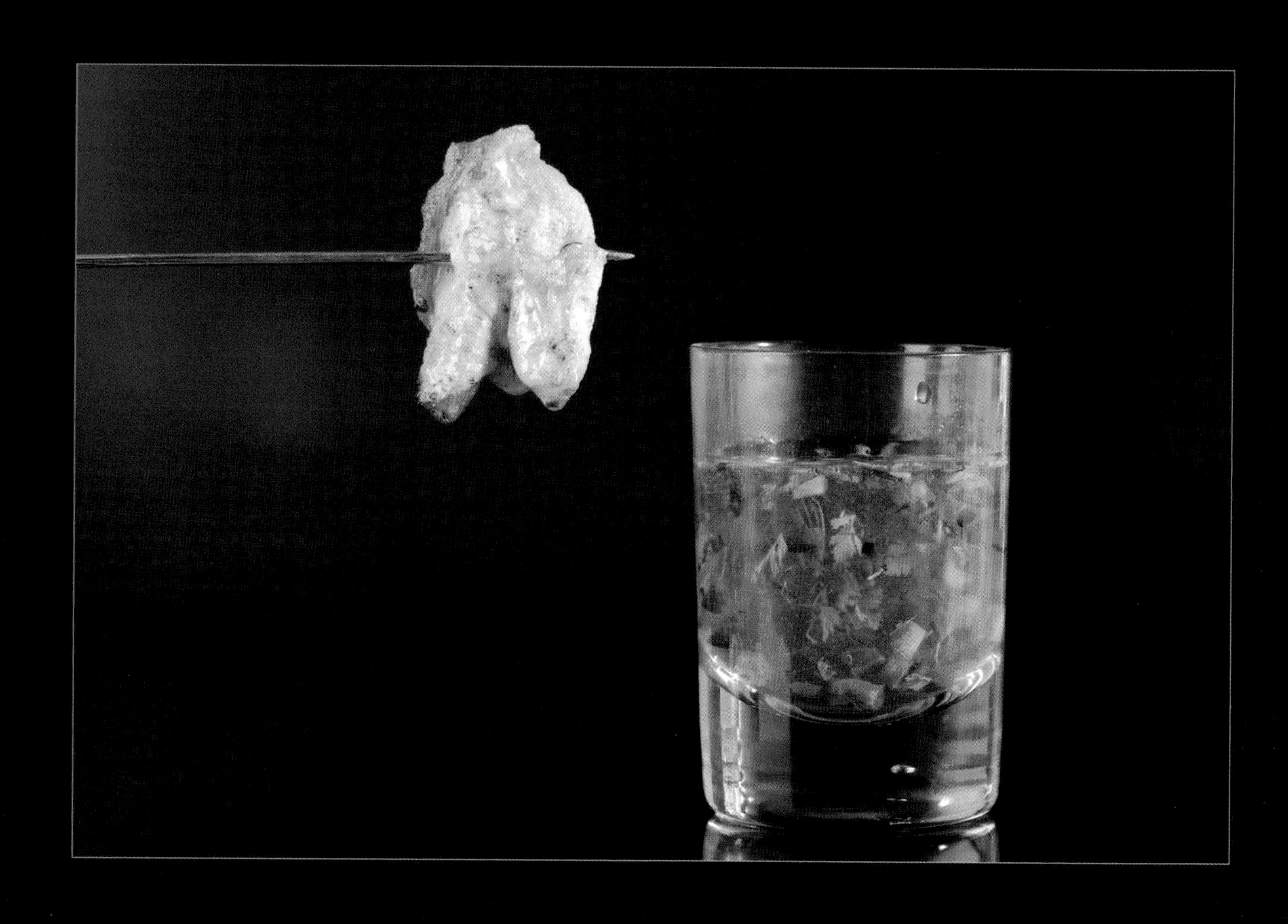

Lago de verduras

Ingredientes

(6 personas)

Para las kokotxas
8 kokotxas de bacalao desaladas
200 g de aceite de oliva
25 g de perejil fresco
sal

Para el mojo de las kokotxas
30 g de pan frito
2 dientes de ajo fritos
20 g alga cochayuyu
30 g de almendra frita
10 g de mostaza de Dijón
10 g de vinagre de frambuesa
100 g de aceite de oliva
pimienta
azúcar
jengibre
sal

Para el caldo de ave
¼ de gallina
100 g de carne de cocido
1 bouquet garni (puerro, perejil, tomillo, zanahoria)
almidón
pimienta
sal

Para los ingredientes en suspensión
aceituna negra cortada en cubitos
fresas cortadas en cubitos
cebollino picado
guisantes lágrima
hojas de perifollo

Elaboración

Para las kokotxas
Triturar el aceite con el perejil y colarlo. Sazonar ligeramente e introducir las kokotxas en la mezcla, dejándolas macerar durante una hora antes de usarlas. A continuación introducir cada kokotxa en una brocheta.
Reservar.

Para el mojo de las kokotxas
Triturar el conjunto de los ingredientes y dar el punto de sal, pimienta, azúcar y jengibre. Reservar.

Para el caldo de ave
Colocar todos los ingredientes menos el almidón y la sal bien cubiertos de agua. Cocer durante 3 horas a fuego lento. Espumar al comienzo de la cocción y siempre que sea necesario. Colar y añadir el almidón en una proporción de 1 g por cada 100 g de caldo y sazonar.

Para los ingredientes en suspensión
Reservar.

Final y presentación

Untar las kokotxas con su mojo y cocinarlas ligeramente sobre la plancha, dejándolas poco hechas. En un vaso transparente verter el caldo y los ingredientes, que quedarán en suspensión. Introducir en la suspensión una kokotxa, dejando la otra al lado.

Si no encuentra

Alga cochayuyu, emplee otro tipo de alga o suprímala.
Mostaza de Dijón, utilice cualquier tipo de mostaza.
Vinagre de frambuesa, use un vinagre suave.
Jengibre, emplee pimienta blanca.
Perifollo, utilice perejil.

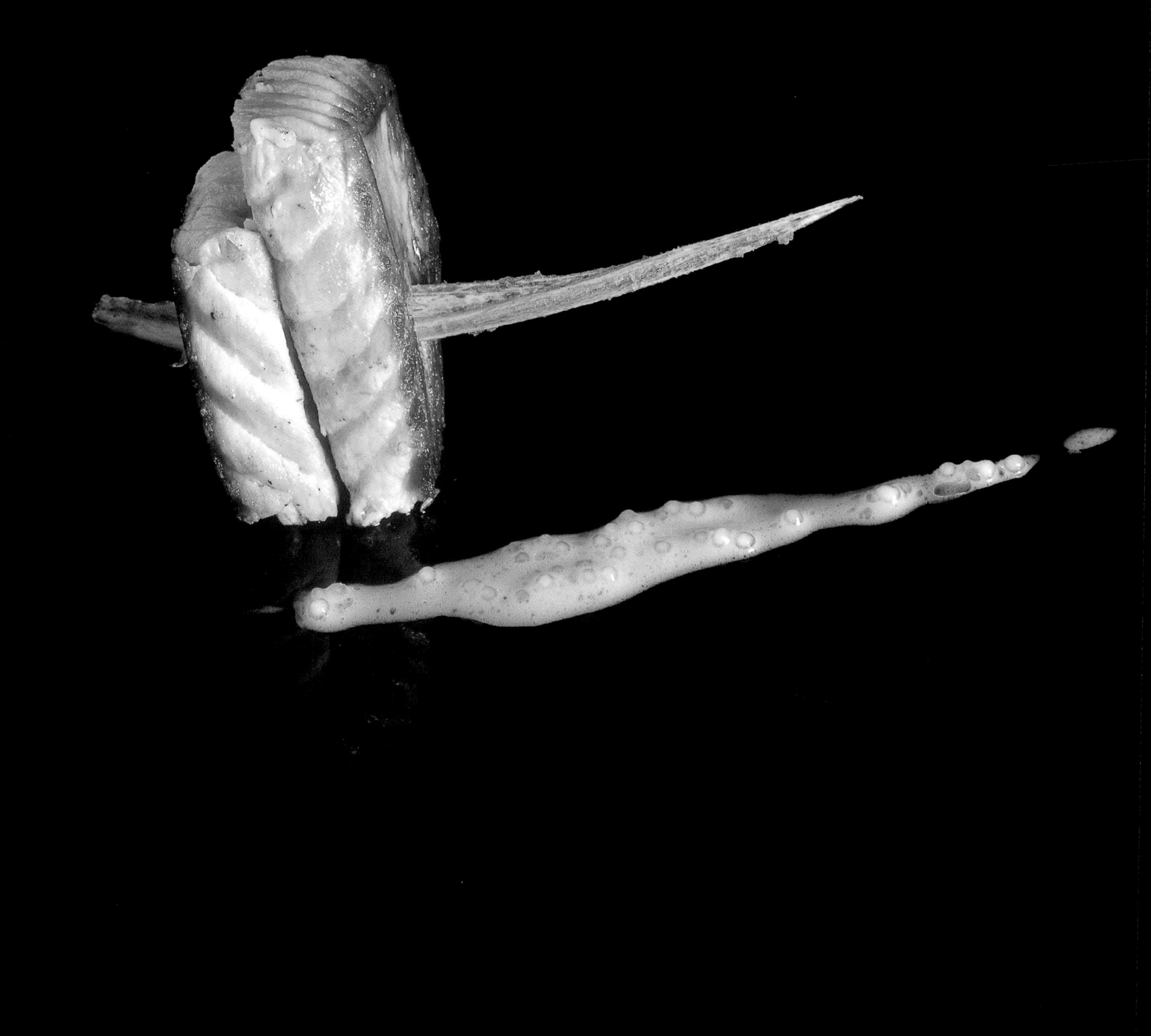

Atún espinado

Elaboración

Para la mendreska de bonito
Ahumar ligeramente la mendreska durante 4 minutos en la ahumadora. Una vez ahumada, hacerla a la plancha sólo por el lado de la piel. Retirar la piel, untar el mojo y añadir el polvo de cacahuete y terminar en la salamandra. Reservar.

Para el mojo de la mendreska
Triturar todos los ingredientes en conjunto y colar en un colador. Rectificar de sal.

Para la salsa de ajedrea y perlas
Preparar un caldo de puerros con puerros, patata, sal y unas gotas de aceite de oliva
Cuando esté hecho el caldo retiramos 100 g del mismo e infusionamos 2 g de ajedrea. Colar.
Añadir al caldo el zumo de naranja y triturarlo junto con el aceite de oliva. Cuando la salsa esté totalmente homogénea se añaden las perlas de Japón y se deja cocer hasta que estén transparentes.
Rectificar de sal, azúcar y jengibre.

Para la espina mentolada
Mezclamos 30 g de aceite de oliva junto con el mentol y reservamos.
Freímos las espinas en el resto de aceite.
Una vez finalizado este proceso, se pinta en el último momento con el preparado anterior.

Final y presentación

En el centro del recipiente donde se va a servir se colocan los trozos de mendreska de pie atravesados por la espina mentolada. Salsear delante de ésta la salsa con las perlas.

Si no encuentra

Perlas de Japón, prescinda de ellas.
Gotas de mentol, use gotas de menta licuada.
Jengibre, prescinda de él.

Ingredientes

(6 personas)

Para la mendreska de bonito
400 g de mendreska de bonito
20 g de polvo de cacahuete

Para el mojo de la mendreska
25 g de cacahuetes tostados
25 g de almendras tostadas
50 g de aceite de oliva
10 g de cebolla pochada
10 g de pan frito
3 hojas de menta
jengibre en polvo
sal

Para la salsa de ajedrea y perlas
2 puerros
1 patata
2 g de ajedrea
75 g de zumo de naranja
35 g de aceite de oliva virgen
15 g de perlas de Japón (una variedad de la tapioca)
azúcar
jengibre
sal

Para la espina mentolada
130 g de aceite de oliva 0,4
1 gota de mentol
4 espinas laterales de bonito

Además
hojas de menta

Cardo y alcachofa

Ingredientes

(6 personas)

Para el cardo
1 cardo
zumo de ½ limón

Para la alcachofa
3 alcachofas
zumo de ½ limón
1 cucharada de aceite de oliva
pimienta
sal

Para el aceite de jamón
250 g de aceite de cacahuete
80 g de jamón

Además
1 cucharada de aceite de oliva

Elaboración

Para el cardo
Utilizar dos hojas de cardo y pelarlas eliminando todas sus hebras. Cortar las hojas en trozos y laminar éstas muy fino. Introducir en agua con zumo de limón para evitar su oxidación hasta su uso. Blanquearlas en agua durante unos instantes y enfriarlas rápidamente.
Utilizar el resto del cardo para diferentes usos.

Para la alcachofa
Laminar muy fino los corazones de las alcachofas. Una vez cortadas, introducir éstas, al igual que el cardo, en agua alimonada hasta su uso. Pasar por la sartén con una cucharada de aceite y saltear ligeramente. Salpimentar.

Para el aceite de jamón
Cortar el jamón en trozos y añadirlo al aceite. Calentarlo a 75 grados y dejar cocer a esta temperatura durante 1 hora.

Final y presentación

Cubrir por ambos lados la alcachofa con las láminas de cardo. Pasar por la sartén con el aceite de oliva, cociéndola ligeramente, y salsear con el aceite de jamón.

Si no encuentra

Aceite de cacahuete, use un aceite de semillas (girasol).

La reputacion culinaria del cardo es más antigua que la de su pariente cercano, la alcachofa. Ya era sumamente apreciado por griegos y romanos, siendo considerada una verdura de lujo reservada a las clases más pudientes, que se la hacían llevar a sus mesas desde la propia Cartago. Hoy sigue siendo una verdura lujosa. No tanto por su precio sino, sobre todo, por su escaso aprovechamiento y por su engorrosa limpieza. Y ya se sabe que hoy más que nunca el tiempo es oro. Pese a todo, el cardo no ha podido ser relegado y sigue estando presente en las mesas más refinadas del país en su corta pero intensa estacionalidad. Como contrapartida a sus "problemillas" nos ofrece una textura carnosa, un delicado sabor —que recuerda a la alcachofa— y una inmejorable versatilidad en los fogones.
De esta última cualidad nace la riqueza de sus emparejamientos con los más dispares productos y preparaciones. Entre las recetas más clásicas lo encontramos asociado a las almendras o al jamón. La untuosidad del tuétano o el foie gras, en las fórmulas más actuales, le van de perlas. En Aragón, y sobre todo en epoca navideña, gustan comerlo con bacalao. En las menestras invernales, sobre todo las de La Rioja, con sus pencas rebozadas, resulta casi imprescindible. El cardo con asociaciones marinas o cárnicas, con bechamel o a la crema, estofado o simplemente cocido y con refrito. E incluso crudo. Sí, crudo, como nos ofrece una ancestral forma de prepararlos, típica de La Ribera de Navarra: cardo rizado, crudo y en ensalada. Una técnica en la que tras unos mágicos cortes se vuelve la penca del cardo rizada y crepitante. Una fórmula del pasado que entronca con la máxima modernidad actual, la cocina de los crudos y crocantes.

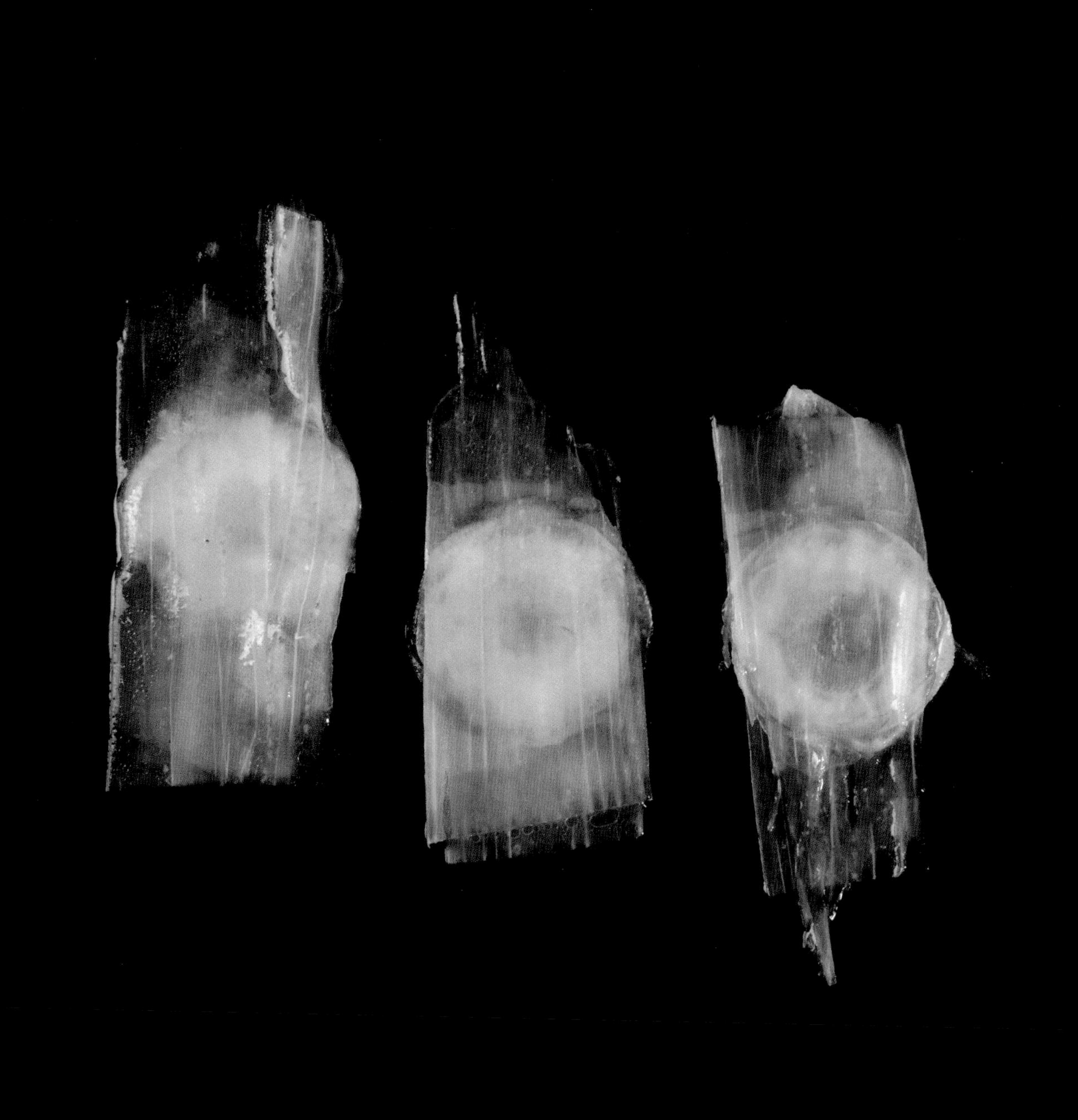

Sopa de calabaza y cochinillo

Ingredientes
(6 personas)

Para la sopa de calabaza
300 g de calabaza limpia
40 g de aceite de oliva
una pizca de azúcar
pimienta rosa
sal

Para el cochinillo
¼ de cochinillo
50 g de aceite de oliva
2 clavos de olor
2 dientes de ajo
1 ramita de tomillo fresco
1 ramita de orégano fresco
una pizca de pimienta de sichuán
sal

Elaboración

Para la sopa de calabaza
Licuar la calabaza. Dar un hervor al licuado y batirlo enérgicamente con el resto de los ingredientes. Reservar.

Para el cochinillo
Envasar al vacío el cochinillo con el resto de los ingredientes. Cocinarlo en una roner (o en horno de vapor) a 70 grados durante 12 horas. Transcurrido este tiempo, y antes de servirlo, dorar el cochinillo en una plancha por las dos caras a fuego vivo.

Final y presentación

Trocear el cochinillo en porciones rectangulares e insertar cada trozo en una brocheta. Acompañarla con la sopa de calabaza bien caliente servida en un vasito.

Si no encuentra

Pimienta rosa, utilice pimienta blanca.
Pimienta de sichuán, use pimienta negra.
Ramita de tomillo y de orégano frescos, utilice las hierbas en seco.

Siete nombres y un destino

Una de las personas que más ha conocido los secretos de esa joya culinaria hispánica que es el cochinillo asado es sin duda el siempre recordado Cándido López, que se hizo llamar simplemente Cándido y que proyectó a Segovia en todo el mundo gracias, sobre todo, a sus inolvidables tostones, crujiente su piel y con carne de mantequilla, cortándolos con un plato no por un hecho meramente folclórico, sino por una razón culinaria: demostrar la terneza de las carnes del tostón. Cándido ya nos decía hace más de treinta años: "Tiene el tostón su historia, como un príncipe. Y siete nombres: tostón, cerdo, cochinillo, puerco, marrano, guarro y lechón. Fue antaño manjar de personas reales, de favoritos y cardenales, y hoy le saborean hasta labradores de mediana hacienda, menestrales y trabajadores manuales".
Mucho antes, otro personaje, un cocinero francés bastante bohemio, Jean Botin, llega a comienzos del siglo XVIII a Madrid y tras muchas aventuras decide instalarse en los alrededores de la plaza Mayor, un lugar ya entonces rebosante de figones, casas de comidas, posadas, paradores y tiendas de vinos. Y donde el paisanaje, siempre itinerante, era de lo más variopinto: viajeros, tunantes, arrieros, trajinantes e incluso gentes acomodadas. Su máxima especialidad, junto al cordero asado, rezaba en su cartel: "Hostería de Botín. Tostones asados".

Arroz cremoso de algas y almejas

Ingredientes
(6 personas)

100 g de arroz bomba
20 g de algas secas (dulse, lechuga de mar, tororo kombu, etc.)
12 almejas
4 cucharadas de aceite de oliva
1 l de caldo de verduras sin sal
1 diente de ajo
sal

Además
3 g de tororu kombu (laminaria japónica)

Elaboración

Sofreír el ajo con las almejas en el aceite caliente. Añadir el arroz y rehogar bien. Agregar las algas y volver a rehogar. Incorporar el caldo caliente poco a poco sin dejar de remover y dejar cocer durante 20 minutos, y sazonar. Desconchar las almejas.

Final y presentación

Colocar el arroz en unos vasitos pequeños cubiertos por un trocito de alga tororo kombu, que casi se fundirá con el calor del arroz.

Si no encuentra

Algas, use verduras.
Tororo kombu, prescinda de ella.

Una "bomba" de arroz

Era común hasta hace pocos años, al tratar el tema del arroz, limitarnos a distinguir la mayor o menor largura de cada tipo, y, a lo sumo, sus procedencias. Se consideraba un "erudito" en el tema el que acertaba a atisbar los múltiples matices existentes en cuanto a virtudes y formas de cocción de cada una de las variedades. Sin embargo, en los últimos tiempos estamos empezando a profundizar en el apasionante mundo de esta gramínea, en parte debido a las influencias italianas, tan duchos a la hora de ensalzar su patrimonio gastronómico. En cualquier libro de cocina de ese país que se precie se señala entre los ingredientes de uno de sus múltiples risottos el tipo de arroz más aconsejable, sobresaliendo entre todos las variedades Carnaroli, el más caro y apreciado, y el Vialone nano de grano menor. Ambos son consistentes (perfectos para cocerlos al dente) y de baja adhesividad. Y es que uno de los factores fundamentales del arroz, aparte del tamaño y de su forma, es si el grano una vez cocido queda más o menos firme o si se pega en mayor o menor medida. Por lo general, los arroces de cocción firme y suelta tienen un porcentaje de amilosa alto, baja adhesividad y elevada consistencia. Y en eso, esta variedad levantina, el arroz bomba, no tiene nada que envidiar a ningún competidor extranjero. Se trata de un arroz realmente especial, que a pesar de su pequeño tamaño crece muchísimo durante la cocción (casi se triplica), factor que ayuda a que quede más suelto y se empape de los sabores vecinos, sabio mestizaje que nos ofrece finura y suculencia. Además, su grano produce una sensación de tersura inigualable, superficialmente parece de gran dureza, pero sin embargo desarrolla una cremosidad sorprendente en el centro. Un arroz, en definitiva, que ha sabido hacerse un nombre ruidoso para pasearlo pacíficamente pero con estruendo por el mundo.

Paloma con su menú en cortezas

Ingredientes
(6 personas)

Para las palomas en escabeche
3 unidades de paloma
200 g de aceite de oliva
2 dientes de ajo
55 g de vinagre de jerez
6 granos de pimienta negra
2 hojas pequeñas de laurel
2 bayas de enebro
1 pizca de tomillo
polvo de jengibre
regaliz
sal

Para las pieles
peladura cruda de medio pimiento rojo
peladura de un melocotón
peladura de medio calabacín verde
3 cucharadas de aceite de oliva
sal

Elaboración

Para las palomas en escabeche

Separar las pechugas y guardar el resto para otros usos. Sazonar las pechugas y añadir el jengibre y el regaliz en forma de sazonamiento.

Calentar en una cazuela el aceite con los ajos. A continuación, introducir las pechugas junto con el tomillo, la pimienta negra, las bayas de enebro y el laurel. Incorporar con cuidado el vinagre. No cocer demasiado, para que las pechugas queden jugosas.

Para las pieles

Introducir las pieles de los distintos ingredientes al vacío por separado. En cada bolsa introduciremos una cucharada de aceite de oliva y una pizca de sal. Cocer a 75 grados durante una hora.

Final y presentación

Colocar las pieles en paralelo alternando los colores, y sobre ellas presentar las pechugas troceadas.

Si no encuentra

Jengibre, use pimienta blanca.
Bayas de enebro, prescinda de ellas.

Magret de pato con merengue de perejil

Ingredientes
(6 personas)

Para el merengue de perejil
300 g de perejil (para obtener 100 g de licuado)
12 g de albúmina
10 g de azúcar

Para el magret
1 magret de pato pequeño
pimienta blanca recién molida
orégano fresco
sal

Además
cristales de sal

Elaboración

Para el merengue de perejil
Licuar el perejil y montar con la albúmina y el azúcar. Una vez montado este merengue, extenderlo sobre papel sulfurizado y secarlo en el horno a 60 grados durante 12 horas (hasta que esté bien seco). Cortar el merengue en trozos cuadrados con un cuchillo de sierra para la base del pintxo.

Para el magret
Salpimentar, añadiendo el orégano por encima del magret. Dorarlo a la plancha por todos los lados. Debe quedar poco hecho por dentro. Cortarlo en tacos cuadrados.

Final y presentación

Colocar los tacos de magret sobre los cuadrados de merengue de perejil y acompañar con los cristales de sal.

Si no encuentra

Albúmina, sustitúyala por claras de huevo deshidratadas en el horno a 50 grados durante 24 horas.
Orégano fresco, úselo en seco.
Cristales de sal, emplee sal gorda marina.

El pato con su monda

Elaboración

Para la monda de mandarina
Pelar cuidadosamente las pieles de las mandarinas sin dejar nada de lo blanco. Cocer las pieles, con el resto de ingredientes, hasta que estén blandas (confitadas), alrededor de 45 a 50 minutos a fuego lento. Reservar.

Para el pato
Triturar el maíz y filtrarlo. En el jugo resultante sumergir las pechugas de pato por completo, pinchando las pechugas con unas agujas para que el zumo de maíz penetre en su interior. Sin apenas escurrirlas, pasar por la plancha las pechugas enteras, dorándolas, y después cortarlas en rectángulos.

Final y presentación

Poner sobre cada trozo de pechuga caliente una monda de mandarina confitada.

Si no encuentra

Tandori, prescinda de él.
Pato azulón, emplee pechugas de pato de granja.

Ingredientes

(6 personas)

Para la monda de mandarina
3 mandarinas
200 g de agua
130 g de azúcar
50 g de vino blanco seco
½ vaina de vainilla
10 g de tandori

Para el pato
2 pechugas de pato azulón
2 botes de maíz dulce cocido

Lenguado con gelatina inesperada

Elaboración

Para los lenguados
Espolvorear con sal y jengibre. Untar con aceite de oliva y dar un golpe de plancha.
Terminarlos en el horno, desespinar, filetear y reservar.

Para la salsa
Pochar con una cucharada de aceite la cebolla y el pimiento amarillo picados. Una vez pochados, rehogar los garbanzos cocidos. Mojar con el caldo y dejar cocer unos cinco minutos. Triturar, colar y dar punto de sal, pimienta y jengibre. Añadir dos cucharadas de aceite crudo. Reservar

Para el velo de alga
Engrasar con un poco de aceite un molde de plástico. Espolvorear el agar-agar en polvo y volcar el molde para desechar lo que sobre.
Cocer este molde boca abajo en la vaporera a 119 grados durante 15 segundos. Sacar de la vaporera y extraer del molde el alga, que habrá formado una película muy fina. Recortar en trozos y recoger como si fuera un trozo de celofán.

Ingredientes

(6 personas)

Para los lenguados
3 lenguados de 350 g cada uno
aceite de oliva 0,4
jengibre en polvo
sal

Para la salsa
75 g de garbanzos cocidos
400 cl de caldo de cocción de los garbanzos
1 cebolla
½ pimiento amarillo
3 cucharadas soperas de aceite de oliva
pimienta blanca
jengibre en polvo
sal

Para el velo de alga
1 g de agar-agar en polvo

Final y presentación

Filetear los lenguados y recortar en porciones los filetes para dejarlos rectangulares. Colocar en cada porción dos filetes de lenguado, uno encima del otro.
Encima de los filetes de lenguado depositar un trozo del velo de alga. Se sirve así al comensal, junto con la salsa en una jarrita aparte. Delante de éste verteremos la salsa muy caliente sobre el velo, haciendo que el velo desaparezca.

Si no encuentra

Jengibre, utilice sólo pimienta blanca.
Pimiento amarillo, sustitúyalo por rojo.
Agar-agar, use gelatina alimentaria.

Pan especiado

Ingredientes

(6 personas)

250 g de harina
7 g de levadura de panadería
3 g de sal
125 g de agua muy fría

Además

Un conjunto de especias (un gramo de comino triturado, un gramo de cúrcuma, un gramo de perejil seco, un gramo de lemon grass seco y un gramo de orégano seco)
aceite de oliva virgen extra

Elaboración

Amasar la harina, la levadura, la sal y el agua durante al menos 15 minutos. Dejar reposar tapada la masa durante 1 hora a temperatura ambiente. Estirar muy finamente porciones de masa de 15 g hasta que alcancen un milímetro de grosor, es decir, muy finas.
Hornear a 300 grados sobre una chapa muy caliente en el horno hasta que suba, y después dejar dorar sin que se queme.

Final y presentación

Cuando el pan esté frío se pinta con una mezcla del aceite con las especias.

Si no encuentra

Lemon grass, prescinda de él.
Cúrcuma, prescinda de ella.

Carrilleras con láminas vegetales

Ingredientes
(6 personas)

Para las carrilleras
3 carrilleras de cerdo ibérico
1dl de aceite de oliva
2 cebollas
2 puerros
2 zanahorias
1 copa de brandy
¼ de l de oporto
½ l de vino tinto
1 rama de vainilla
¾ de l de caldo de carne
agua
sal

Para las láminas vegetales
1 zanahoria
1 yuca pequeña
1 plátano macho
1 boniato
1 patata
1 remolacha
pimienta
sal

Elaboración

Para las carrilleras
Limpiar y cortar las verduras en juliana. Pocharlas a fuego lento con la mitad del aceite.
Sazonar las carrilleras y dorarlas a fuego vivo en el resto del aceite. Una vez doradas, retiramos el aceite y las flambeamos con el brandy. Agregar a continuación el oporto y el vino tinto, dejar reducir y añadir la vaina de vainilla. Seguidamente, incorporar la verdura pochada. Rehogar bien. Después se agrega la mitad del caldo y otro tanto de agua hasta cubrir las carrilleras. Dejar cocer a fuego lento hasta que las carrilleras estén blandas. Dejar enfriar fuera del caldo de cocción, y cuando estén frías seccionarla en escalopes gruesos.
Mientras tanto, hervir el caldo con las verduras. Hacer una incisión en la vaina y extraer la pulpa de la vainilla retirando la vaina. Triturar, colar y sazonar.
Dejar las carrilleras dentro de la salsa, donde las calentaremos en el momento de servir.

Para las láminas vegetales
Pelar y cortar en finas láminas todos los vegetales. Una vez cortadas, colocar sobre un silpat en forma de *collage*: una lámina de cada vegetal, formando de esta manera 12 láminas. Sazonar éstas con sal y pimienta. Cubrirlas con un silpat e introducir en el horno a 110 grados hasta que estén crujientes.

Final y presentación

Colocar las carrilleras salseadas acompañadas por las láminas de vegetales crujientes.

Si no encuentra

Oporto, utilice cualquier vino dulce.
Yuca, emplee nabo.
Boniato, use patata.

1 2 3 4

dulces fríos

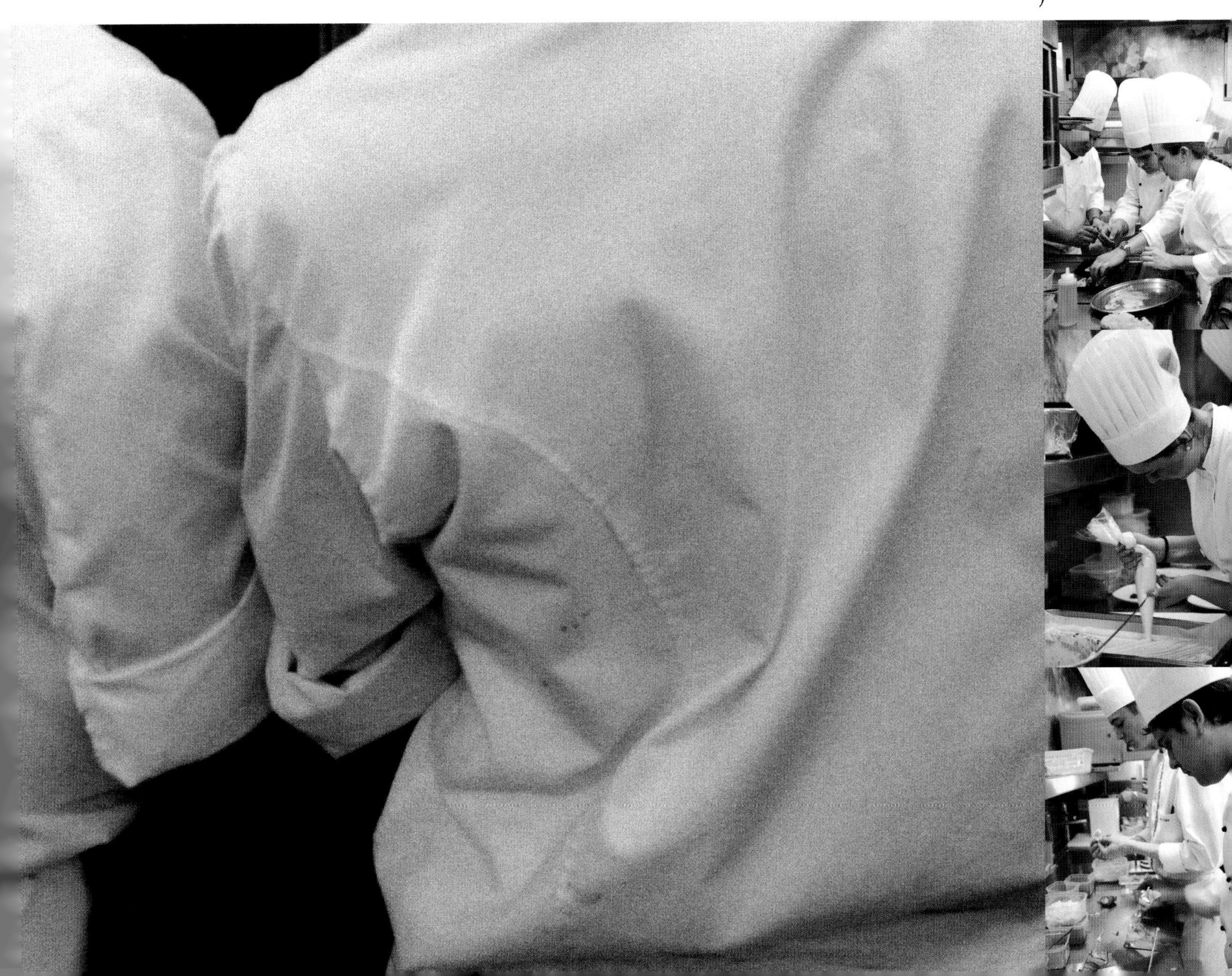

Trufas planchadas

Ingredientes

(6 personas)

200 g de chocolate negro
Tandori

Elaboración

Congelar dos planchas rectangulares de porcelana (o de mármol u otro material). Trocear el chocolate y fundirlo hasta que esté fluido. Verter sobre una de las planchas congeladas tres cucharadas del chocolate, espolvoreando rápidamente el tandori sobre ellas e inmediatamente colocar la segunda plancha sobre la plancha anterior. Dejar reposar 15 segundos y levantar la plancha superior, quedando las trufas en la plancha inferior.

Final y presentación

Las trufas quedarán sobre la plancha inferior, que servirá, a su vez, de presentación.

Si no encuentra

Tandori, puede suplirlo por nuez moscada rallada, la clásica canela en polvo o curry en polvo.

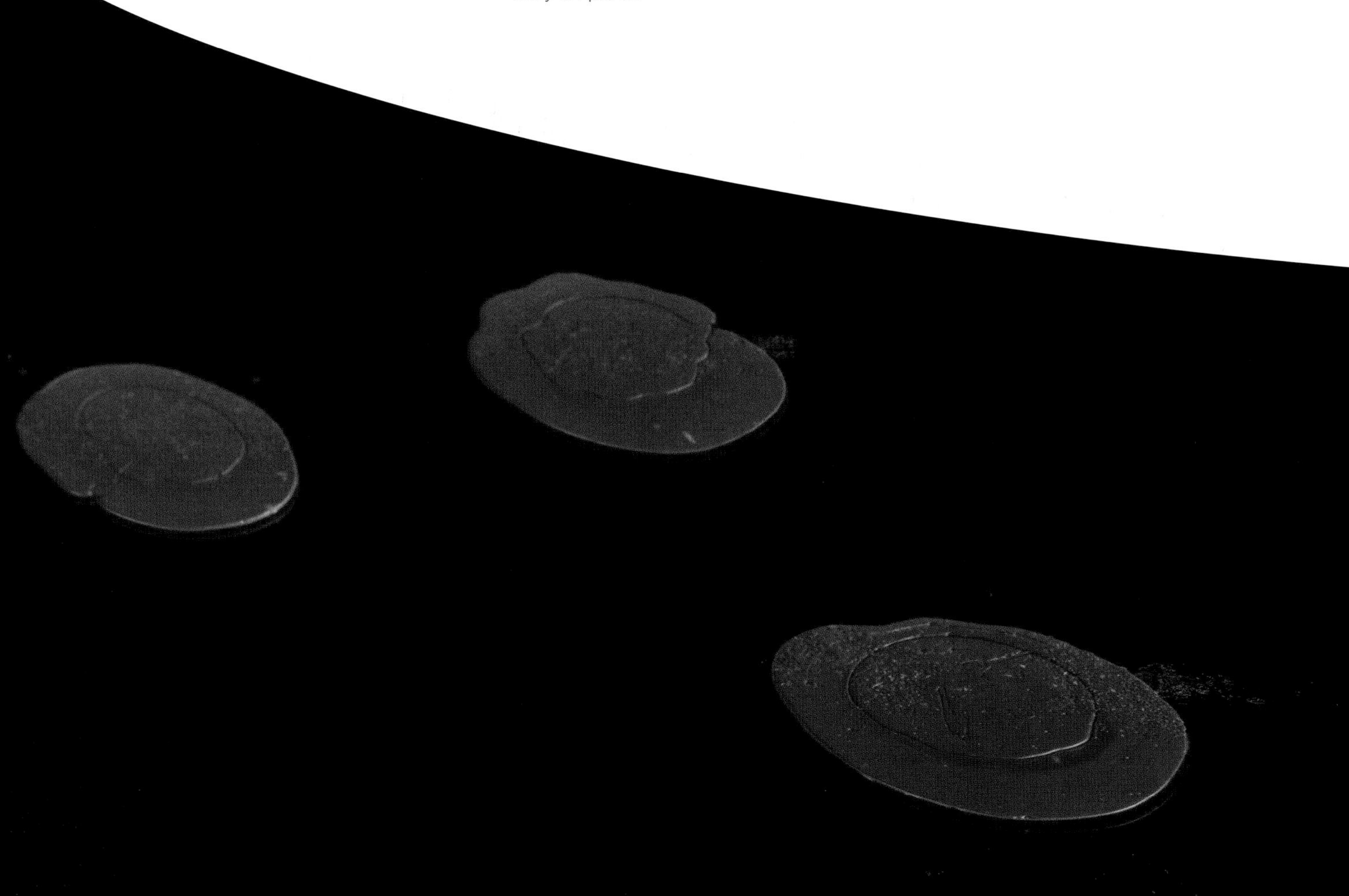

El tandori

Estas trufas de chocolate planchadas son singulares por varios motivos. Por un lado, la sencillez, tan sólo se precisa chocolate negro. Por otra parte, lo peculiar de la técnica de elaboración: dos placas congeladas que van a ser las planchas que aplasten al chocolate derretido y que forma lo que también podríamos haber llamado "trufas al instante". Además, alejándonos de terrenos más trillados a la hora de recubrir las trufas con un polvo característico (coco, cacao, azúcar glas o canela), lo hemos hecho con algo aparentemente poco relacionado con los dulces y, por supuesto, con el chocolate, como es el tandori.

El tandori no sólo es un horno de cerámica usado en la India para asar carne, pan u otros alimentos, también es una técnica que consiste en poner las especias (mezcla de especias) directamente sobre el carbón para darle a las carnes y al pescado un sabor muy peculiar y su característico tono rojizo anaranjado por la mezcla de especias y por la cocción en el típico horno de barro. Asimismo, el llamado tandori masala es un colorante en polvo o mezcla de especias.

Este tandori masala se añade al yogur, jengibre, ajo y chile para elaborar una pasta que se aplica sobre la carne, se deja marinar y después se cuece en el intenso calor del tandori. Este colorante, el tandori masala, se compone por lo general de comino, cilantro, canela, clavo, chile, jengibre, cúrcuma, macis, sal y colorante, aunque la combinación varía según las recetas. ¡Qué osadía maridar el chocolate con una especie tan asociada a la culinaria india de carnes y pollo!, aunque al probarlo no parece ninguna locura.

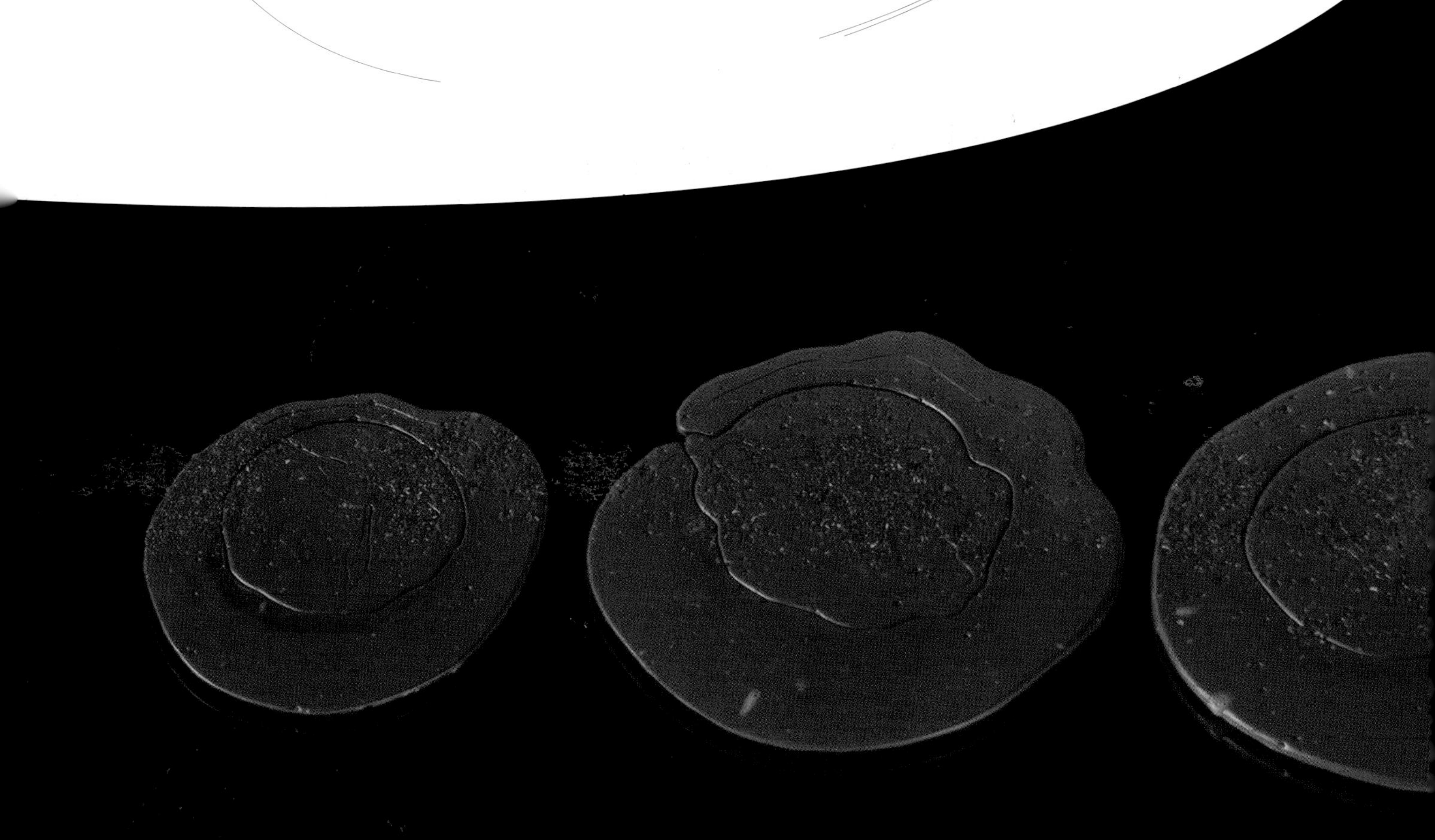

Bombones de queso

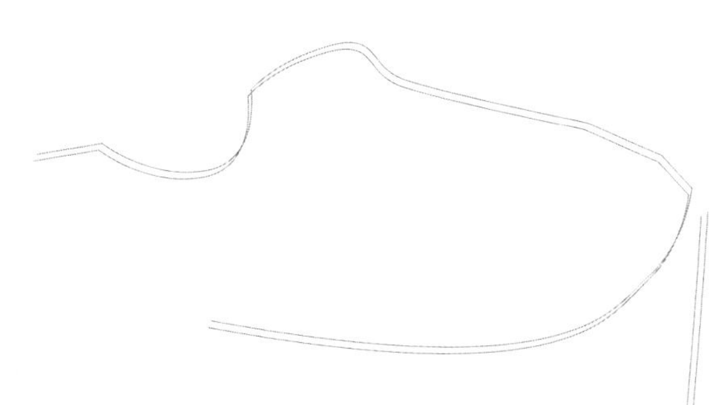

Ingredientes
(6 personas)

Para los bombones
250 g de cobertura de chocolate negro (71% de cacao)

Para el relleno
4 yemas
150 g de queso blanco fresco cremoso
40 g de azúcar
una pizca de cardamomo verde triturado

Elaboración

Para los bombones
Preparar las "cápsulas" donde va a ir el bombón. Con ayuda de unos corchos de botella, que forraremos con film transparente, iremos haciendo las cápsulas, introduciendo el corcho hasta la mitad en el chocolate negro previamente templado. Escurrir y dejar secar durante media hora a 17 grados. Pasado este tiempo, sacar el film y ya tendremos un vasito de chocolate de una forma muy artesana, con las paredes muy delgadas. Reservar.

Para el relleno
Preparar el relleno de queso, mezclando el queso, el azúcar y el cardamomo. Todo sin calentar, a temperatura ambiente.

Final y presentación

Depositar en cada molde de chocolate una cucharadita del relleno de queso sin que llegue hasta el borde del vasito. Dejar reposar una hora a 12 grados.
Para el templado, derretir el chocolate (en baño maría o microondas), subir la temperatura hasta 50 grados. Enfriar el chocolate hasta los 27 grados, mejor sobre un mármol, y volver a subirlo a 32 grados. El chocolate una vez templado está listo para trabajarlo (con un margen hasta 25 grados).

Si no encuentra

Cardamomo, prescinda de él.

Piropo dulce y amargo

Es muy curioso que la primera ciudad del mundo donde se estableció la fábrica pionera de elaboración de chocolate por medios mecánicos fuera Barcelona, Can Culleretes, que puso en marcha un tal señor Fernández en 1777.
En Francia se puso de moda y era muy *chic* entre las señoras extraer del bolsillo unas pequeñas bomboneras que estaban llenas de golosinas de chocolate, pastillas muy perfumadas con diversos aromatizantes. En 1761 un repostero francés a las órdenes del duque de Pléssis-Praslin, gracias a un descuido, había inventado el praliné, que bautizó así en homenaje a su señor. En 1819 François Louis Cailler instaló en un molino cercano a la población suiza de Vevey la primera fábrica de chocolate en aquel país (sede hoy de la poderosa Nestlé). Un ciudadano suizo, Kohler, tuvo la ocurrencia en 1830 de añadir avellanas al chocolate. Otro suizo, Daniel Peter, inventó en 1875 la tableta de chocolate con leche. El antecedente de los bombones lo encontramos en siglos incluso anteriores al descubrimiento de América, y ya en la Edad Media se elaboraban confitando frutas y revistiendo el almíbar de diversos frutos secos como almendras, avellanas, pistachos o con pasta de albaricoques, membrillos, manzanas, etcétera.
El otro día releía en el libro *Los postres de El Bullí* de Albert Adrià que los postres con chocolate son los más complicados de crear, en parte por el temor a estropear un producto tan noble.

Bizcocho apasionado

Ingredientes
(6 personas)

Para el bizcocho
80 g de mantequilla
100 g de zumo de fruta de la pasión
30 g de azúcar moscovado
50 g de harina
1 sobre de levadura química
50 g de harina de almendra
120 g de azúcar
3 claras a punto de nieve

Para la crema de queso y azafrán
25 g de crema de queso de cabra
25 g de crema de queso de oveja
60 g de crema de queso fresco
hebras de azafrán

Elaboración

Para el bizcocho
Por un lado, hervir el conjunto de mantequilla, zumo de fruta de la pasión y azúcar moscovado. Enfriar.
A esta mezcla fría le añadiremos el conjunto de las distintas harinas, azúcar y levadura. Mezclar bien sin dejar grumos e incorporar la claras a punto de nieve. Introducir en el molde y hornear a 180 grados durante 8 minutos. Reservar.

Para la crema de queso y azafrán
Mezclar los distintos ingredientes con el azafrán.

Final y presentación

Cortar el bizcocho en porciones y añadir por encima la crema de quesos y azafrán.

Si no encuentra

Azúcar moscovado, use otro tipo de azúcar.

Ayer secos, hoy esponjosos

La historia del bizcocho viene de lejos. Elaboraciones de este tipo se descubren en distintos bajorrelieves de la tumba de Ramsés, en Tebas, nada menos que en el siglo X a.C. Pero en su origen tenía muy poco que ver con el actual, era una especie de pan duro, una torta que se sometía a doble cocción, de ahí su nombre "*bis coctus*"; precisamente por esa deshidratación y sequedad fue alimento básico de soldados y sobre todo de los marinos en sus interminables navegaciones por medio mundo, puesto que de esta forma ya no se endurecía más y lo hacía "medio" comestible. Parece ser que las legiones romanas ya lo conocían y Plinio aseguró un tanto exageradamente que este "pan de partos" se conservaba durante siglos. Es curioso cómo en el famoso bizcocho de Reims hay todavía un recuerdo retrospectivo de este doble horneado. Un bizcocho pequeño de tamaño y de forma rectangular, teñido de carmín, perfumado de vainilla, ligero pero de corteza dura y crujiente, cualidad esta última atípica en el resto de los bizcochos y debida a esa doble cocción. Un bizcocho que fue ideado para acompañar a los champañes, antiguamente muy azucarados. Los bizcochos de Saboya, por contra, muy espumosos, casi etéreos, gracias a su gran proporción de huevos batidos a punto de nieve, constituyen un ejemplo de esponjosidad. Al parecer fue realizado por primera vez por el maestro cocinero de Amadeo VI de Saboya.

Vino tinto crujiente

Ingredientes

(6 personas)

750 g de vino tinto (muy oscuro)
200 g de mantequilla
400 g de azúcar
185 g de harina

Elaboración

Hervir el vino tinto hasta que queden 250 g.
Trabajar la mantequilla hasta conseguir una textura a punto de pomada.
Cuando esté, mezclarla con el vino, el azúcar y la harina previamente tamizada.
Estirar sobre un silpat finamente y cocerla en el horno a 125 grados durante 20 minutos.

Final y presentación

Dejar enfriar en cajas con gel de sílice hasta el momento de su utilización.

El vino es la vida

Nos resultaría imposible enumerar la cantidad de recetas en las que interviene el vino, bien como elemento de cocción, maceración o salseo, tanto en la cocina popular y regional como en la llamada cocina de autor. De hecho, algunas de estas fórmulas bañadas por uno de los líquidos más nobles que existen han pasado a engrosar la lista de grandes clásicos: sin ir más lejos, el boeuf bourgignonne, los riñones al jerez, los pichones al oporto, la matelote de pescados de agua dulce típica del Loira y del Ródano, los magros de cerdo al tinto del Piamonte, el entrecote "marchand de vin", las preparaciones hechas con salsa de madeira, las carbonadas del valle de Aosta, el gallo al vino, y toda la suerte de gulasch al vino blanco o tinto, etc... Pero probablemente una de las recetas más extraordinarias, dentro de su humildad, que se han preparado con vino en la cocina mundial es precisamente una que está hecha con esta salsa borgoñona. Se trata de los "oeufs en meurette", fórmula de difícil traducción, pero que vienen a ser unos huevos pochados o rehogados en esta fantástica salsa y cuya invención se atribuye a un campesino o viticultor de la Borgoña que ideó a la postre una de las maneras más reconfortantes de asumir el desayuno en una dura jornada de vendimia. Es un típico plato de payés, que con el tiempo se convirtió en tradicional para el campesinado francés, nacido al pie de la viña. No es de extrañar que les gustase tanto teniendo en cuenta que el protagonismo del plato pertenecía por derecho al borgoña tinto. Un vino que cuando es bueno lo es de verdad, sutil, sensual, con esos leves aromas típicos e inigualables, tan de moda, el Pinot Noir, pero que tampoco desmerecería con cualquiera de nuestros riojas, Penedés, Somontano, caldos de Navarra o del Priorato o de la Ribera del Duero, Toro y tantos y tantos otros vinos tintos de calidad que hoy se elaboran a este lado de los Pirineos.

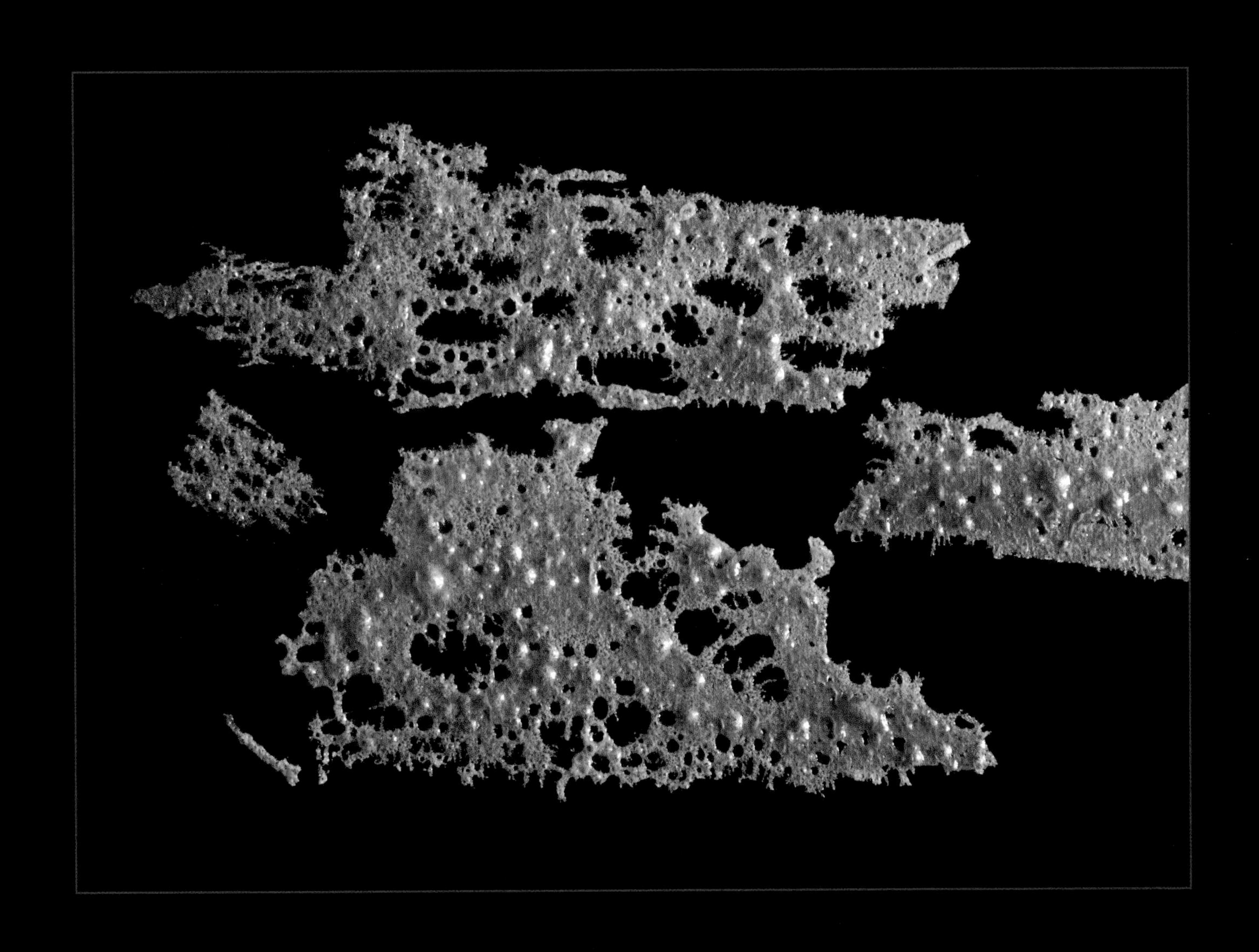

Raviolis de mango y acedera

Ingredientes

(6 personas)

Para la pasta de acederas
25 g de licuado de acedera
300 g de pistacho verde
200 g de nata
100 g de leche
100 g de azúcar

Para la pasta de mango
500 g de pulpa de mango
30 g de arrurruz
100 g de azúcar integral

Elaboración

Para la pasta de acederas
Triturar todos los ingredientes en frío hasta formar una pasta levemente espesa. Reservar.

Para la pasta de mango
Hervir el mango con el azúcar y ligar con el arrurruz. Dejar enfriar y reservar.

Final y presentación

En un bol con nitrógeno líquido introducimos 10 segundos una cucharadita de la pasta de mango, retirando rápidamente e introduciendo en la pasta de acederas, y una vez rebozada en ella, volvemos a introducir en el bol de nitrógeno líquido, retirando también rápidamente para servir al momento, con cuidado de no quemarse.

Si no encuentra

Acederas, use espinacas maceradas en limón.
Arrurruz, use un espesante alimentario.
Azúcar integral, use azúcar blanquilla.

La acedera es una planta de hojas comestibles, silvestre o cultivada, conocida por el nombre vulgar de varias especies del género *Rumex*, de la familia de las poligonáceas. De esta planta se conocen más de cien especies, y tiene una peculiar acidez, apenas agresiva.
No en vano no sólo su nombre evoca esa cualidad, sino que en sus otras acepciones populares, tales como agrella y vinagrerita, resulta inequívoca. Esta sucesión de bonitas hojas comestibles, frescas, jugosas y lanceoladas pueden ser cultivadas o silvestres. Como planta agreste —más conocida como la hierba de pascua— crece despreocupada al comienzo de la primavera en los linderos de los bosques, desconociendo que su mayor enemiga, la glotona perdiz, acecha para saborearla, empezando por sus brotes más tiernos.
Sus usos medicinales ya los conocían los griegos y los romanos, que la consumían en infusión para amortiguar sus excesos. Y los egipcios descubrieron sus propiedades diuréticas. En el terreno puramente culinario hay que recordar que la sopa de acederas es una receta casi tan antigua como su frecuente utilización en el cuajo de leche y requesones. Durante la Edad Media las hojas de acedera servían para envolver los grandes bloques de mantequilla elaborada artesanalmente en las casas y que se conservaba en pucheros de arcilla cubiertos con agua salada.

Fruta de la pasión y áloe vera

Elaboración

Para el Marshmallow
Poner a remojo en agua fría las gelatinas durante 20 minutos. Cuando estén remojadas añadir al zumo de fruta de la pasión y dar un hervor.
Por otro lado, pero al mismo tiempo, subimos la mezcla del agua con el azúcar a 126 grados. Mezclamos con rapidez ambas preparaciones sin apenas remover.
Aparte, y también al mismo tiempo, hemos montado en una batidora las claras a punto de nieve con la sal. Cuando estén listas verteremos la mezcla hirviendo, en forma de hilo, en las claras, sin dejar que la máquina deje de batir. Durante media hora seguirá batiendo y perderá progresivamente la temperatura; finalmente, la pasamos un molde, donde cuajará.

Para el áloe vera
Cortar en láminas muy finas y cocer en agua azucarada durante 15 minutos. Reservar.

Final y presentación

Cortar dados del Marshmallow y poner encima una rodaja del áloe vera.

Si no encuentra

Pulpa de fruta de la pasion, utilice pulpa de piña.
Áloe vera, prescinda de ella.

Ingredientes

(6 personas)

Para el Marshmallow

• Paso 1
160 g de zumo de pulpa de fruta de la pasión sin pepitas
8 gelatinas (16 g de gelatina alimentaria)

• Paso 2
500 g de azúcar
240 g de agua

• Paso 3
90 g de claras de huevo
1 g de sal

Para el áloe vera
1 hoja de áloe vera (125 g aprox.)
½ l de agua
250 g de azúcar

Leche a la plancha

Ingredientes
(6 personas)

100 g de leche
azúcar glas (optativo)

Elaboración

Depositar una cucharada sopera de leche a temperatura ambiente sobre una sartén de teflón caliente. Dejar evaporar y cuando se forme una capa debajo que esté dorada, pero no mucho (pues amargaría), retirar con la ayuda de una espátula y la mano.

Final y presentación

Retirarlas y darles forma a capricho, depositarlas en un plato en forma de montaña (se pueden espolvorear con azúcar glas, pimienta blanca en polvo, etc.. Aunque si se quiere degustar el verdadero sabor de la leche tostada no debe añadirse nada).

Natillas exprés de cacao

Ingredientes
(6 personas)

Para las natillas de cacao
130 g de nata líquida
1 yema (18 g)
30 g de azúcar moscovado
5 g de cacao en polvo

Para el vapor de cocción de menta piperita
1 l de agua
50 g de menta piperita fresca
2 gotas de mentol

Para las uvas en vino
½ l de vino tinto
75 g de azúcar
16 uvas negras

Para la almendra cruda
4 almendras crudas

Elaboración

Para las natillas de cacao
Mezclar todos los ingredientes en frío y reservar.

Para el vapor de cocción de menta piperita
Hacer una infusión normal y pasar dos veces por la estameña. Añadir el mentol.
Rellenar el depósito de una cafetera exprés doméstica con la infusión.
Calentar con el vapor de la cafetera las natillas sin dejar de mezclar hasta que llegue a una temperatura de 88-90 grados. Depositar la mezcla sobre un recipiente rectangular de 3 cm de profundidad. Visualizar en el refractómetro la graduación brix hasta obtener 4° brix aproximadamente. (Grados brix: miden los sólidos solubles presentes en un jugo o pulpa expresados en porcentaje de sacarosa [azúcares, ácidos, sales, etc.].)

Para las uvas en vino
Calentar el vino con el azúcar hasta que desaparezcan los granos de azúcar. Cuando se enfríe, añadir sobre las uvas y dejar reposar 24 horas.

Para la almendra cruda
Rallar las almendras y reservar.

Final y presentación

Poner las uvas sobre las natillas. Colocar el rallado de almendras entre uva y uva.

Si no encuentra

Azúcar moscovado, utilice azúcar de caña.
Menta piperita fresca, use otra menta o hierbabuena.
Gotas de mentol, prescinda de ellas.

Chocolate soplado

Ingredientes
(6 personas)

400 g de cobertura de chocolate
spray 1.1.1.2 tetrafluoretano
oro alimentario en polvo

Elaboración

Trocear el chocolate y fundirlo llevándolo a una temperatura de 32 grados.
Sobre la cánula del spray colocar el soporte, en el que posaremos la trufa, en este caso un pequeño embudo.
Introducir la cánula (con el soporte) de salida del gas en el chocolate fundido. Apretar el gas y formará la trufa instantánea.

Final y presentación

Colocar las trufas en un plato decorativo y espolvorear con el oro.

Si no encuentra

Oro alimentario, prescinda de él.

Helado de piña asada con vinagre

Elaboración

Pelar la piña y extraer de ella la parte dura del centro. A continuación, cortar la piña en trozos, embadurnarla en 160 g de azúcar y asarla 20 minutos a 190 grados.

Aparte, reducir al 50% el vinagre junto con 60 g de azúcar.

Una vez lo tengamos todo (incluido el caramelo de vinagre), triturarlo junto a la nata y la leche e introducir en un bol Paco Jet. Congelar y pasarlo por la máquina en el momento de servir.

Ingredientes

(6 personas)

1 piña
150 g de nata
400 g de leche
220 g de azúcar
50 g de vinagre de jerez

Final y presentación

Presentar la bola de helado con ayuda de un sacabolas o cuchara.

Si no encuentra

Vinagre de jerez, puede emplear otro vinagre.

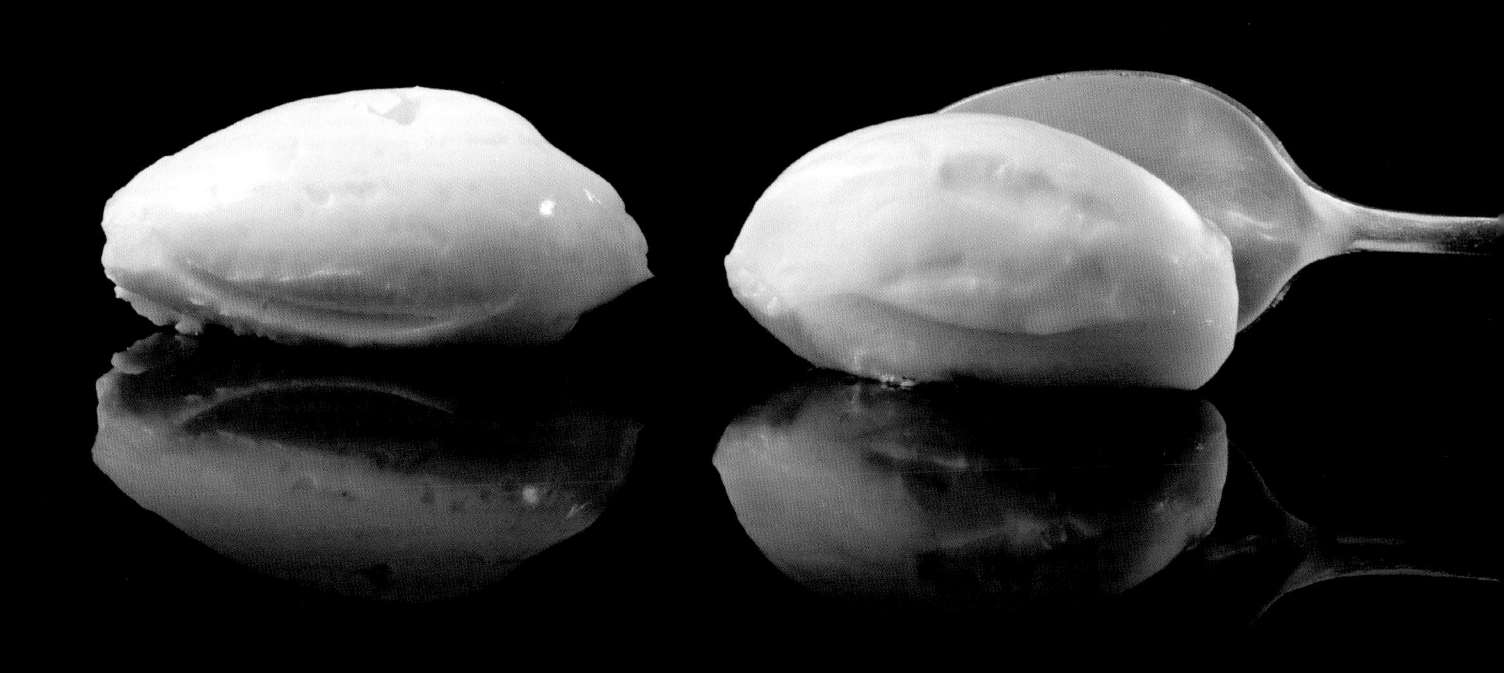

Alfombra de chocolate

Elaboración

Para la alfombra de chocolate
Mezclar en un recipiente 65 g de azúcar, 85 g de claras y el cacao y reservar.
Fundir el chocolate e incorporarlo a la mezcla anterior.
Aparte, poner a punto de nieve el resto de las claras y el azúcar.
Mezclar todos los ingredientes y estirarlo en capas finas. Hornear a180 grados durante 10 minutos aproximadamente. Una vez finalizada la cocción de la alfombra dejar reposar 30 minutos. Cortar en cuadrados de 5 x 5 cm y reservar.

Para el embebido de la alfombra
Hervir el conjunto. Emborrachar las alfombras cuando el jarabe esté frío.

Para la naranja liofilizada
Introducir los gajos en la liofilizadora. Dejar liofilizar más o menos durante 24 horas aproximadamente.

Ingredientes
(6 personas)

Para la alfombra de chocolate
50 g de chocolate
90 g de azúcar (65+25)
160 g de claras (85+75)
15 g de cacao en polvo

Para el embebido de la alfombra
125 g de licor de naranja
50 g de agua
25 g de azúcar

Para la naranja liofilizada
los gajos de 2 naranjas cortadas a sangre

Final y presentación

Colocar la alfombra ya embebida.
Sobre ésta, en la parte superior, poner los gajos liofilizados de naranja.

Si no encuentra

Cacao, use sólo chocolate.
Licor de naranja, emplee otro tipo de licor.

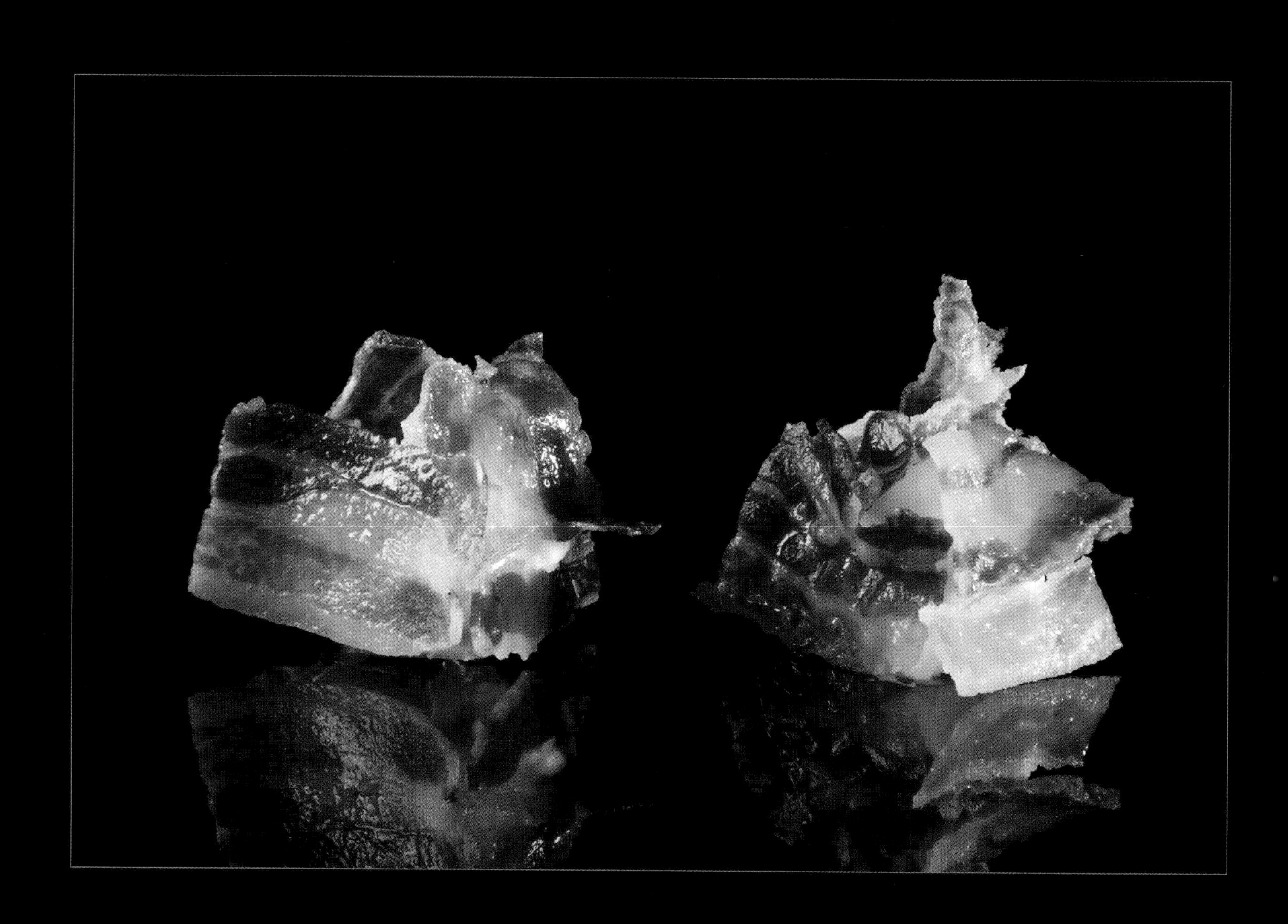

yemas con bacón

Ingredientes

(6 personas)

Para las yemas
125 g de azúcar
8 yemas

Para el bacón con azúcar
6 lonchas de bacón
20 g de azúcar glas

Elaboración

Para las yemas
Calentar el azúcar a 114 grados. Cuando esté, batir las yemas en la termomix con la ayuda de la hélice de su propio equipamiento. Añadir el jarabe poco a poco según va absorbiendo las yemas. Dejar cocer durante 25 minutos en la termomix a una temperatura de 100 grados.

Para el bacón con azúcar
Introducir el bacón al horno sobre dos láminas de silpat a 120 grados hasta que estén bien crujientes. Una vez cocidas y bien crujientes, trocearlas en pedazos y espolvorearlas con el azúcar glas.

Final y presentación

Hacer unas piezas redondas con las yemas y cubrir éstas con el bacón crujiente.

Canuto de pasión

Ingredientes
(6 personas)

Para los canutos
12 rectángulos de pasta filou de 14 x 6 cm
100 g de nata líquida
60 g de azúcar
½ cucharada de aceite de oliva (para pintarlos)

Para el relleno
230 g de azúcar
100 g de pulpa de tamarindo
200 g de agua
4 claras de huevo

Elaboración

Para los canutos
Estirar la pasta embadurnándola con un pincel de la mezcla de nata y azúcar. Cuando la pasta esté húmeda enrollarla sobre un cono metálico dándole esta forma. Hornear a 180 grados durante 10 minutos aproximadamente, hasta que estén dorados. Pintar los conos con el aceite y desmoldarlos.

Para el relleno
Mezclar el agua con la pulpa de tamarindo. Darle un hervor y filtrar. A este jugo se le añade el azúcar (150 g). Se remueve y se pone a hervir hasta que adquiera una temperatura de 120 grados. Aparte, montar las claras con el resto del azúcar a punto de nieve y, sin dejar de batir, añadir en forma de hilo la mezcla anterior. Seguir batiendo hasta que se enfríe. Reservar.

Final y presentación

Rellenar los canutos con la crema de tamarindo, intercalando algunos trocitos que queden del filtraje de esta pulpa.

Si no encuentra

Pasta filou, utilice pasta brick u hojaldre.
Tamarindo, use frambuesas o la pulpa de otra fruta ácida.

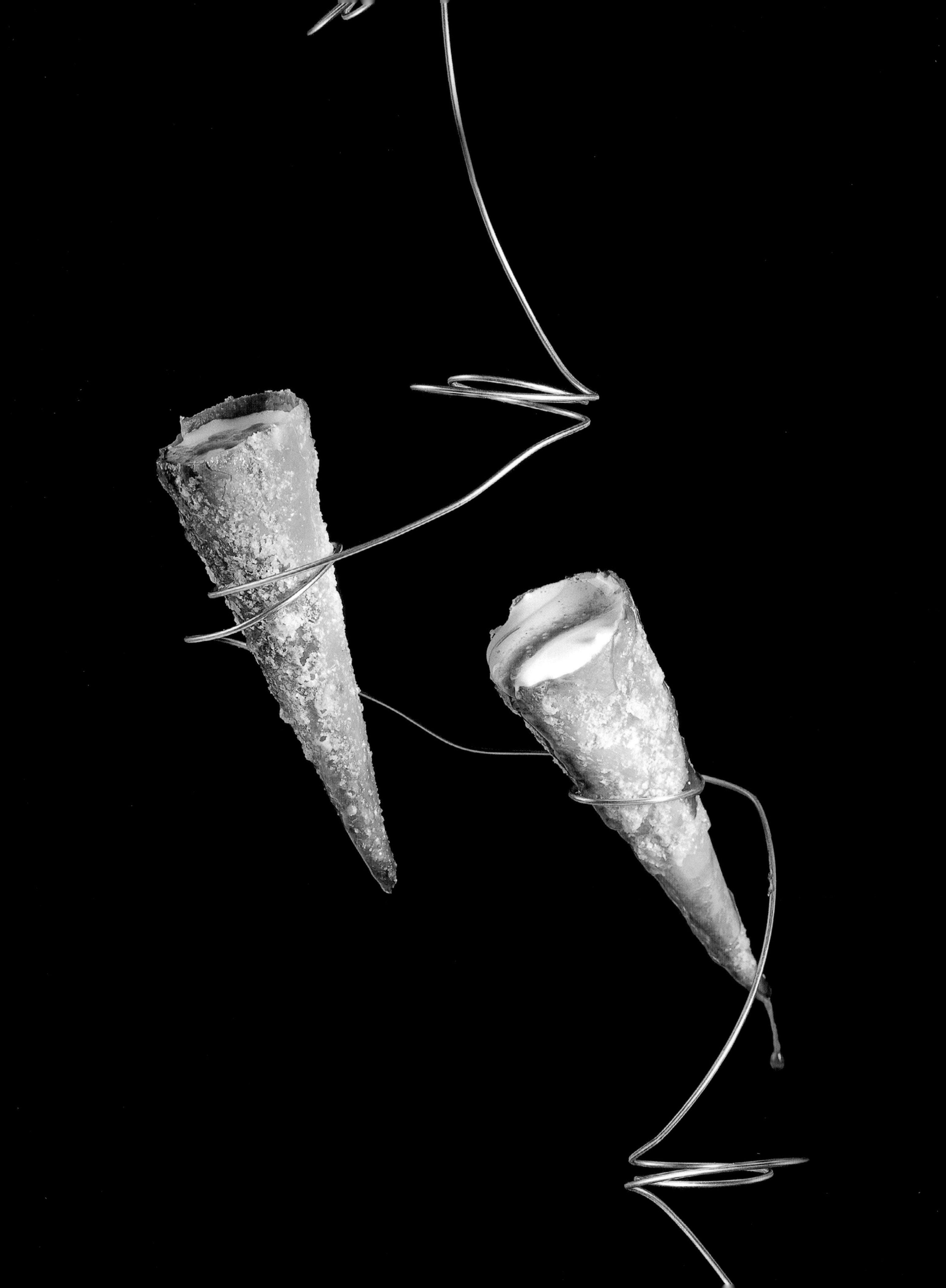

Pompas de fresas

Elaboración

Para las fresas

Asar las fresas en el horno brevemente a baja temperatura con el resto de los ingredientes sin que lleguen a deshacerse.

Para las pompas

a) Para el caldo de fresas

Mezclar todos los ingredientes y mantenerlos muy fríos (aproximadamente a 3 grados).

b) Para el propulsor de hielo seco

Manchar los bordes interiores de cada vasito, donde luego se presentará, con el puré de fresas. En el fondo del vasito depositar el hielo seco y reservar unos instantes.

Final y presentación

Verter el caldo de fresas frío en los vasitos preparados con el hielo seco, surgiendo las pompas. Y mientras el comensal come la fresa que se deposita al lado del vasito, de éste van saliendo las pompas o burbujas.

Ingredientes

(6 personas)

Para las fresas

6 fresas grandes
50 g de azúcar
una pizca de pimienta blanca recién molida
sal

Para las pompas

a) Para el caldo de fresas

250 g de leche entera
15 g de puré de fresas naturales
15 g de azúcar

b) Para el propulsor de hielo seco

15 g de puré de fresas
25 g de hielo seco

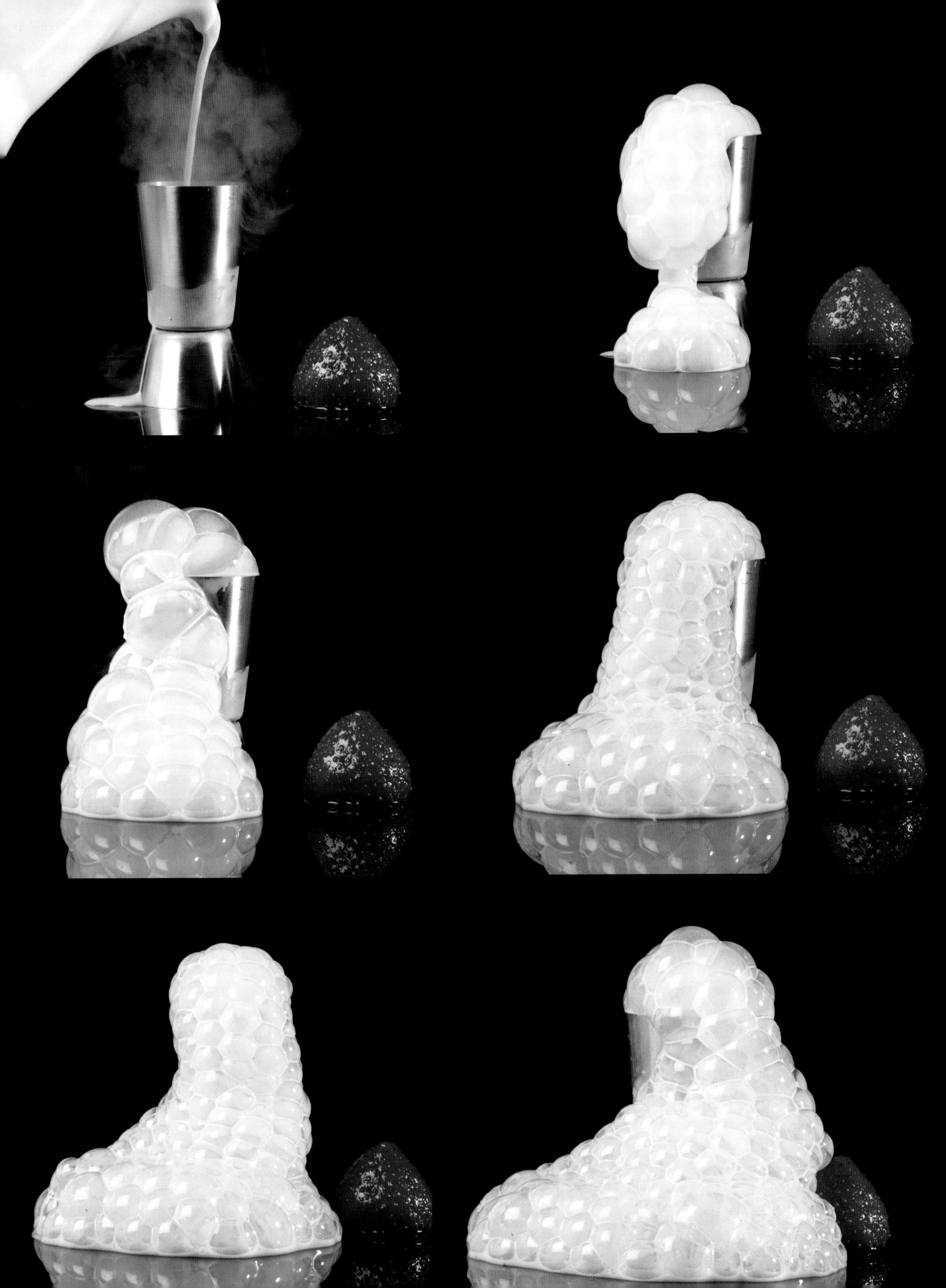

Leche blanca crujiente

Ingredientes
(6 personas)

400 g leche entera
4 g de goma xantana

Elaboración

Emulsionar los dos ingredientes batiéndolos durante 5 minutos y extenderlos sobre un papel, dejándolos secar en el horno a 50 grados durante 24 horas.

Final y presentación

Cortar con una tijera las láminas en rectángulos y disponerlas como si de un aparcamiento de bicicletas se tratará.

Expresiones de la sandía

Ingredientes

(6 personas)

1 sandía
½ l de aceite de oliva 0,4
150 g de azúcar
1 l de agua

Elaboración

Para la piel de sandía
Pelar la sandía y recuperar la parte blanca que hay entre el verde y el rojo de la sandía. Cortar ésta en rectángulos y cocerla en agua con azúcar durante 30 minutos. Reservar.

Para la sandía confitada
Cortar 12 rectángulos de sandía y confitarla a 100 grados en el aceite de oliva durante 25 minutos.

Para la espuma de sandía
Licuar el resto de la sandía y con ayuda de una batidora pequeña batir el licuado hasta lograr la espuma en la superficie del licuado. Reservar.

Final y presentación

Presentar la sandía colocando la piel y sobre ella la sandía confitada perfectamente cortada y cuadrada. En la superficie colocar la espuma de sandía.

Cofre de agua plácida

Pablo Neruda dijo de ella en su preciosa oda a esta fruta: ¡Cofre de agua, plácida / reina/ de la frutería/ bodega de la profundidad, luna /terrestre!... Es una cucurbitácea como el melón o la calabaza, pero a veces se la ha tratado como la pariente pobre de aquél y se ha dicho que es sosa y vulgar. Así lo expresaba de rotundo el inolvidable Josep Pla: "La sandía es insulsa, agua pura teñida, mediocre, de un sabor populachero sin ambición; una pura filfa". Aunque lo que nadie le niega es su cualidad de refresco estival. Y es que es casi toda agua y contiene muy poco azúcar. Por ello, resulta protagonista de los más severos regímenes de adelgazamiento. Pero hay que reconocer que hay países en los que la sandía tiene más consideración que aquí. Es el caso de Egipto y Turquía. El médico de Napoleón Bonaparte en la campaña de Egipto cuenta en sus memorias que las sandías, muy abundantes en aquellos huertos, salvaron de morir de hambre y sed a los soldados franceses, carentes de agua y alimentos, si bien como contrapartida sufrieron tremendas indigestiones con las mismas.

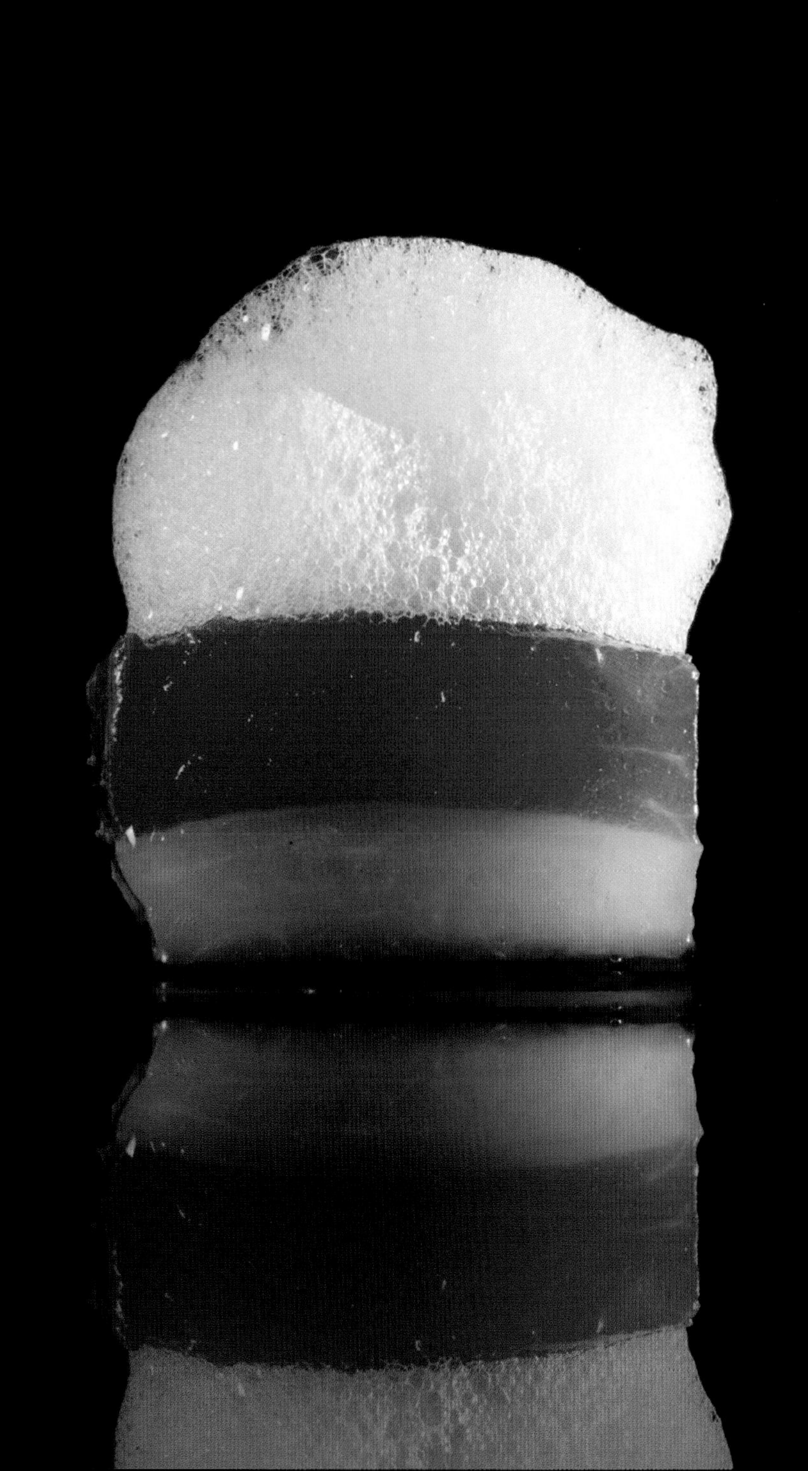

1 2 3 4

dulces calientes

Gotas de ylang ylang sobre reineta

Ingredientes
(6 personas)

Para la reineta cruda
2 manzanas reinetas
el zumo de media lima
3 gotas de ylang ylang

Para la reineta a la plancha
2 manzanas reinetas
30 g de mantequilla de avellanas
(mezcla de mantequilla en pomada con polvo de avellanas)
20 g de azúcar

Para la vinagreta de frutos secos
50 g de aceite de almendras
10 g de castañas confitadas
20 g de nueces peladas
2 cucharaditas de zumo de limón
perejil picado

Elaboración

Para la reineta cruda
Pelar y cortar en rectángulos las manzanas. Macerarlas con el resto de los ingredientes durante 15 minutos.

Para la reineta a la plancha
Pelar las dos manzanas y cortarlas también en rectángulos, dorar los trozos de manzana en una sartén (justo hasta que se dore la superficie) con la mantequilla de avellanas y el azúcar. Después, darles un toque ligero en el microondas, justo para que se ablanden por dentro, pero que mantengan la forma.

Para la vinagreta de frutos secos
Mezclar todos los ingredientes en frío.

Final y presentación

Colocar en la base del plato el rectángulo de manzana cruda y sobre él el trozo de manzana a la plancha. Salsear ligeramente con la vinagreta.

Si no encuentra

Ylang ylang, prescinda de él o use otro aceite de lavanda o similar.

La peladura del plátano

Ingredientes
(6 personas)

2 plátanos de Canarias medianos
130 g de azúcar
1 l de agua
200 g de vinagre de manzana
un poco de ralladura de nuez moscada
albahaca fresca

Elaboración

Quitar y desechar, con ayuda de un pelador, la capa externa más fina del plátano. Pelar a mano la piel restante y cocerlas con agua y 100 gramos de azúcar unos 40 minutos. Sacar y reserva. Hacer con el resto de los plátanos, ya sin ninguna piel, pequeñas rodajas que se macerarán en el vinagre con la nuez moscada durante 10 minutos. Transcurridos éstos, sacar las rodajas de plátano y pasarlas por ambos lados en una plancha caliente, espolvoreando con el resto del azúcar.

Final y presentación

Colocar sobre cada rodaja de plátano hecha a la plancha y caramelizada un trozo de la piel cocida y espolvorear por encima con la albahaca picada.

Si no encuentra

Nuez moscada entera para rallar, úsela ya molida.
Albahaca, use menta o hierbabuena.

Chocolate frito

Ingredientes

(6 personas)

Para la tempura
un sobre de tempura
agua fría (la cantidad que
indique el fabricante)
abundantes hielos

Para el relleno de chocolate
200 g de chocolate negro

Además
aceite para freír

Elaboración

Para la tempura
Mezclar el agua muy fría con el sobre de tempura, manteniéndola en un baño maría helado con los cubitos de hielo.

Para el relleno de chocolate
Cortar el chocolate en pedazos rectangulares (de 2 cm aproximadamente). Introducir el chocolate en la masa de tempura.

Final y presentación

Freír los trocitos de chocolate envueltos en la masa de tempura en aceite no muy caliente (180 grados aproximadamente), y escurrir la fritura sobre un papel absorbente.

Si no encuentra

Harina de tempura, utilice harina de maíz.

La tempura

El o la tempura es un plato tradicional de la cocina japonesa que consiste en freír algunos alimentos (mariscos, hortalizas, verduras...) previamente introducidos en una masa líquida y espesa, cuyos ingredientes básicos son la harina de trigo, la levadura, el agua muy fría, sal y azúcar (tempura). Una vez fritos, son servidos inmediatamente sobre papel absorbente o enrejado de bambú, junto con una salsa (soja), servida en boles donde cada pieza se moja antes de comerse. Su mérito está en llegar a la mesa caliente, sin rastro de grasa, con la capa exterior dorada, pero casi transparente, crujiente, y el elemento interno tierno y jugoso.

Tortilla fea de chocolate

Ingredientes
(6 personas)

Para los fideos de maracuyá
50 g de pulpa de maracuyá
10 g de azúcar
0,5 g de agar-agar
1 hoja de gelatina (2 g)

Para la tortilla
3 huevos
75 g de azúcar
75 g de cobertura de chocolate negro (70%)
6 g de cacao

Para la lechuga verde
1 lechuga grande
125 g de azúcar
20 g de glucosa

Además
pensamientos (flores)

Elaboración

Para los fideos de maracuyá
Hervir la pulpa con el azúcar. A continuación añadir el agar-agar y dejar hervir durante unos instantes. Fuera del fuego añadir la hoja de gelatina previamente hidratada en agua fría. Dejar reposar al frío hasta que cuaje. Una vez cuajado, cortar en gruesos fideos.

Para la tortilla
Mezclar bien todos los ingredientes en un bol. Hacer una tortilla normal introduciendo en el interior los fideos de maracuyá. Debe quedar jugosa.

Para la lechuga verde
Licuar la lechuga. Una vez licuada, añadir el azúcar y la glucosa. Dejar cocer durante unos minutos.

Final y presentación

Sobre un plato llano colocar la tortilla bien cuadrada (de cada una sacaremos dos pinchos), y a su lado la lechuga licuada acompañada por unos pétalos de pensamiento.

Si no encuentra

Maracuyá, utilice piña.
Agar-agar, use sólo gelatina alimentaria.

Manzana con aceitunas

Ingredientes

(6 personas)

Para el bizcocho de azúcar integal y mantequilla

75 g de azúcar integral
75 g de azúcar
2,5 g de levadura en polvo
25 g de nuez en polvo
75 g de harina
50 g de almendra en polvo
200 g de claras
150 g de mantequilla

Para el gratinado de aceitunas negras y manzanas

2 manzanas de Regil
35 g de aceitunas negras sin hueso
10 g de aceite de oliva virgen
15 g de azúcar

Para la salsa de queso con aceite de oliva virgen

100 g de crema de queso
10 g de azúcar
25 g de aceite de oliva virgen

Además

azúcar
polvo de corteza de naranja

Elaboración

Para el bizcocho de azúcar integral y mantequilla

Mezclar en un bol la harina, levadura, nuez, almendra y azúcares. Incorporar las claras y mezclar bien el conjunto.

Cuando esté bien mezclado, añadir la mantequilla derretida (templada). Mezclar todo y dejar reposar 3 horas en el refrigerador.

Estirar la masa de un 1cm de grosor sobre moldes rectangulares (3 x 6 cm). Hornear a 180 grados durante 10 minutos.

Reservar.

Para el gratinado de aceitunas negras y manzanas

Pelar las manzanas y descorazonarlas. Cortar en dados pequeños la manzana al igual que la aceituna, de la misma medida. Mezclar en un bol las manzanas con las aceitunas e incorporar el azúcar. Emulsionar el conjunto con el aceite y la ayuda de una cucharada del jugo de las aceitunas.

Para la salsa de queso con aceite de oliva virgen

Mezclar bien todo hasta conseguir que quede una crema homogénea.

Final y presentación

Colocar la mezcla en la superficie del bizcocho frío. Espolvorear en la superficie de las manzanas y aceitunas un poco de azúcar y gratinarlo o calentarlo con el soplete formando una fina capa caramelizada.

Sobre la parte derecha de un plato llano colocar la tarta y a su lado la salsa. En la superficie de la salsa espolvorear una pizca de polvo de corteza de naranja.

Si no encuentra

Manzanas de Regil, emplee manzanas reineta.
Polvo de corteza de naranja, prescinda de él.

Frutas a la parrilla

Ingredientes
(6 personas)

Para las frutas
¼ de piña
1 melocotón
1 mango
6 moras
2 kiwis

Para el azúcar especiado
50 g de azúcar
5 g de albahaca seca
5 g de orégano
1 pizca de perejil picado
1 pizca de menta picada
1 pizca de pimienta negra molida
al momento

Además
aceite de calabaza

Elaboración

Para las frutas
Cortar las frutas en tacos cuadrados de 3 x 3 cm aproximadamente e insertarlos en una brocheta.

Para el azúcar especiado
Se mezclan todos los ingredientes, reservándolo.

Final y presentación

Se embadurnan las frutas con la mezcla de azúcar y especias. Se pone sobre una brasa caliente dorándolas por todos los lados, quedando caramelizadas pero sin quemarlas. Acompañar la brocheta con el aceite de calabaza.

Si no encuentra

Las frutas señaladas, utilice las que tenga a mano, de temporada.
Aceite de calabaza, sustituir por un aceite de semillas neutro.

Brocheta o broqueta

Una aguja larga de hierro o acero en la que se insertan los elementos que se quieren asar. Los ingredientes cárnicos suelen ser macerados antes.
Las brochetas, también llamadas broquetas, son, asumiendo un símil automovilístico, el "todoterreno" de la cocina. Su versatilidad, en cuanto a ingredientes existe todo un campo de posibilidades donde la imaginación puede hurgar, y la facilidad y rapidez de elaboración las convierten en las predilectas de la cocina al aire libre, de las barbacoas campestres. Son pequeños bocados que tienen el éxito asegurado, siempre que los productos sean de primera calidad, sobre todo si son de carne, que ha de ser muy tierna. Entre los trozos apropiados de cordero figuran la riñonada o el lomo, y, entre los de buey, la cadera o el solomillo. Cuando la carne es magra, las marinadas a base de aceite le van de maravilla para protegerla, evitando que se reseque al asarla. Las broquetas son un plato originario de Turquía, el famoso kebab, donde casi siempre intervienen unos cubos de carnero macerados, que se alternan con grasa de carnero, y sus riñones; se sirven con trozos de limón, yogur líquido o nata agria, que es consumida con deleite en Oriente Próximo. Y es que los alimentos ensartados en un pincho siempre incitan al apetito.

La liofilización

La técnica de la liofilización es un proceso de secado al vacío en congelación. El agua pasa de sólido a gas sin pasar por el estado líquido, es decir, se sublima. El proceso se desarrolla en una máquina especial, la liofilizadora. Las temperaturas de trabajo suelen rondar los –50 grados y la presión suele ser inferior a 0.1 mb. La duración del proceso dependerá del tipo de máquina, así como del volumen a trabajar y de su composición.
Con ello se consigue que el producto resultante mantenga todas las cualidades organolépticas intactas.
Esto nos permite avanzar en dos conceptos importantes: el sabor, sobre todo su potenciación, y la textura, pudiendo conseguir desde polvos muy finos hasta trozos con texturas blandas o recias y crujientes.

Ver receta Sepia liofilizada, página 102.

Cera perdida

La técnica de los geles de cera era un reto pues suponía la utilización de un producto que en principio era desechado para el consumo, la cera. Luego nos daríamos cuenta de que ésta forma parte de muchos productos, como los dulces industriales.

Aquí desarrollamos una fusión entre cera y grasa de sabor muy tenue, como el aceite de girasol. Fundimos como indica la receta y dejamos enfriar. Conseguimos una textura de gel que ponemos en el plato de esa manera. Después derretiremos, con ayuda de un pequeño soplete de gas inerte, para evitar sabores extraños, el gel delante del comensal y se liberarán los aromas contenidos en su interior.

La técnica la podemos utilizar con más productos, siempre intentando que éstos mantengan su sabor original al ser derretidos.

Ver receta Pichón a la cera perdida, página 142.

7 8 9
4 5 6
1 2 3

Los velos

La primera técnica que desarrollamos para la realización de velos transparentes la hicimos sobre base de agar-agar cocinado bajo presión. Más tarde evolucionamos a tres técnicas que nos dieron mucho juego, como fueron la gelificación de almidones, la deshidratación de productos cocinados y, por último, la utilización de celulosas secas para texturas quebradizas.
La primera se desarrolla en un horno a vapor a presión y nos permite una textura que podemos derretir delante del comensal envolviendo un pescado, por ejemplo.
En los cuatro casos, cada uno con sus variantes, nos dio como resultado velos transparentes, de distintos colores con texturas de celofán, de papel, de pergamino, que desaparecían en la boca, algunas, otras que obligaban a derretir en el plato, o, simplemente, que obligaban a saborear en profundidad.

Ver receta Lenguado con gelatina inesperada, página 164.

Vapor inyectado

El proceso de aromatización de un producto a través de inyección de vapor lo realizamos utilizando una cafetera doméstica. Ésta nos permite actuar sobre el depósito de agua de la misma. Sustituimos el agua por infusiones muy concentradas de sabor que no superasen los 15 grados brix para evitar que los conductos pudieran obstruirse con el azúcar.
No tenemos más que aplicar la salida del vapor al producto que queremos cocinar.
En el caso de líquidos, nos permite hacer natillas aromatizadas en directo, pues la temperatura de salida es suficiente para cuajarlas.
En el caso de los sólidos, marisco, pescado, guisantes, nos dará una textura y una salsa instantánea que se emulsionará en el mismo recipiente.

Ver receta Natillas exprés de cacao, página 87.

Hielo seco

El anhídrido carbónico se encuentra disuelto en muchos productos de consumo habitual: un refresco de cola, champán, cerveza, agua carbonatada, tónica, etc. Además, en dosis correcta estimula la secreción de los jugos gástricos, facilitando la digestión. Utilizar una técnica para que ese gas, desde su vertiente sólida, pudiera dar lugar a una reacción nos mantuvo entretenidos unos meses. Al final dimos con él. Reaccionaba con una mezcla láctea muy concreta y además respetaba el sabor, añadiéndole a éste, simplemente, el "picor" característico de las bebidas con gas. Espectacular y con sabor.

Ver receta Pompas de fresa, página 198.

indice alfabético

A B C

E F G H L

M N Ñ O P

Q R S T U V Y Z